数字で話せ!

「世界標準」のニュースの読み方

高橋洋一
Yoichi Takahashi

はじめに　～「数字で話せ」が世界の常識

私はいつも「世界標準」ということを頭において話をしています。私の著書やマスメディアでのコメント、動画配信などネット上での解説や論評が、少しでも参考になる、あるいはおもしろいと思っていただけているのであれば、まずはそこに理由があるでしょう。

世界標準とは、「世界の常識」ということです。そして、日本における多くの言論、つまり一部の学者を含む評論家やジャーナリストの言説、特に新聞やテレビなどのマスメディアが世間に送り込む情報や分析、コメンテーターなる人たちの意見は、明らかに世界の常識から外れています。だからこそ、常識論を展開しているにすぎない私の意見が、時に独特に、時には過激に聞こえるわけです。

「世界標準で物事を考える」とはどういうことでしょうか。政治、経済、安全保障といった局面それぞれに世界標準は各論としてありますが、その大元にはまず「数量化されていない議論は議論にならない」という前提があります。「数字で話せ」が世界の常識です。

ということは、数字が読めること、数字の意味を理解できることこそが、国際社会での基礎的な教養だということになります。

科学的根拠のない、中国からの「処理水」への批判

福島第一原子力発電所の処理水の海への放出が、第1回目として2023年8月24日に開始され同年9月11日に完了しました。タンク10基分7800トンの放出です。東京電力は、2023年内に計4回、タンク40基分の3万1200トンを放出する計画です。

放出開始の8月24日に、中国外務省が反対および非難の声明を出しました。同省は「原発事故による汚染水を人為的に海洋放出したことは過去に例がなく、受け入れられている処理の基準もない」としましたが、中国が強調して言う「汚染水」と、福島第一原子力発電所が放出した「処理水」は意味も内容も異なります。

今件の場合、汚染水とは福島第一原子力発電所の事故により発生している高濃度の放射性物質を含んだ水のことを指します。そして、処理水とは、汚染水に対して複数の設備で放射性物質の濃度を低減する浄化処理を行った後で、敷地内のタンクに保管されている水のことを指します。作為か無知かはともかく、ここを曖昧（あいまい）にしたままなされている議論が国内においてもいまだにあるようです。

非難声明の当日、中国の税関総署が公告を出し、「原産地を日本とする水産物（食用水

生動物を含む）の輸入を全面的に停止」しました。その理由は、「中国の消費者の健康と輸入食品の安全を確保するため」です。ということは、理論的には、いずれ日本への中国人の渡航も禁止とならなければおかしいでしょう。

農林水産省の発表データによれば、中国が輸入停止した水産物の、2022年の日本から中国への輸出総額は871億円。品目別の内訳はホタテ貝が467億円、ナマコ（調整）が79億円、カツオ・マグロ類が40億円となっています。

日本の同年度の農林水産物・食品全体の輸出額は1兆4148億円ですから、そのパーセンテージからすれば大きな数字ではありません。とはいえ各生産地においては年間数十億円規模の減益が生じます。テレビのワイドショーなどは連日、生産者の〝困惑〟を中継していました。

「ホタテ貝467億円の輸出のうちの6割は北海道産なので福島第一原子力発電所の処理水を問題として全面輸入停止するのは筋が通らない」「日本からのマグロの輸入はNGだが中国の漁船が日本近海で捕獲したマグロはOKだというのも実に妙な話だ」などとマスコミやネット上でも盛んに取りざたされていました。

ただ、問題は、作為無作為はともかく、中国側が処理水を科学的に評価しない、つまり

「数字で考えることをしない」ことにあります。

汚染水を処理水にする行程では、ＡＬＰＳ（Advanced Liquid Processing System）という多核種除去設備が使われます。これはアメリカとフランスが開発した技術を日本のメーカー、東芝と日立ＧＥニュークリア・エナジーが国産化したものです。

ＡＬＰＳは62種類の核種を確実に除去します。そう言うと、その手の活動家の間では必ず、「他のものは除去していないということじゃないか」という話になります。中国側の主張も「福島の核汚染水には60種を超える放射性核種が含まれており、多くの核種の有効な処理技術はまだない」というものでした。しかし、62種類の核種を除去するということの意味は、「出てくる核種はすべて除去しているから他のものは検出できない」ということなのです。

ただし、水素の一種でごく弱い放射線を出すトリチウムという放射性物質はＡＬＰＳでも除去できません。なぜならトリチウムは、水と同じ性質を持っているからです。トリチウムはトリチウム水として、雨水にも海水にも人の体内にも存在しています。もし、いま目の前に水の入ったコップがあるなら、そのなかにもトリチウムは存在します。

そして、トリチウムの生物学的半減期は10日であり、各生物が体内に取り込んだ場合も速やかに体外に排出されます。臓器に蓄積することはありません。日本はＩＡＥＡ(International Atomic Energy Agency：国際原子力機関）の基準値を参考にして十分以上に稀釈したトリチウムを含む処理水を海中放出しているわけですが、同様の処理水は、アメリカ、フランス、カナダ、韓国、そして中国といった各国においても、海洋ないし河川、あるいは大気中に放出されています。

興味深いのは、２０２３年9月以降、処理水に関して、科学的根拠のない、あるいは科学的知識に欠けた意見、つまり中国のロジックと何ら変わらない主張が日本の一部の知識人においてなされ始めたことです。東京都立大学の某人文社会学部教授は、Ｘ（旧ツイッター）で「トリチウムは魚の体内で生体濃縮される」という主旨の論を展開して〝炎上〟しました。

生体濃縮による公害としては、水銀中毒の水俣病が知られています。基礎的な科学的知識として知っておくべき水銀とトリチウムの決定的な違いは、前者は金属だから溜まるのであり、後者は水に似ている性質を持っているので溜まらない、ということです。

また、あまりにもひどいので、思わず私のＹｏｕｔｕｂｅ「高橋洋一チャンネル」で徹底的に批判してしまったのが、２０２３年９月３日に放送されたテレビ番組「サンデーモーニング」（ＴＢＳ系列）における、ニュースキャスター・松原耕二氏（元ＴＢＳ報道局記者）の発言でした。

松原氏は、中国の主張はまったく科学的だとは思わないとしながらも、「普通の原発が海に流しているものと今回の処理水はまったく違う水である。今回の処理水は燃料デブリに直接当たっているので、トリチウムだけではなくセシウムやストロンチウムなどいろいろな放射性物質が入っている」という内容の解説を行ったのです。

燃料デブリとは、事故で溶解（ようかい）した燃料などが冷えて固まったもののことですが、ＡＬＰＳによる多核種除去の概要は先に述べた通りです。燃料デブリに触れたから処理水には未知の放射性物質も含まれているはずだというのなら、科学的に数量を指し示す必要があります。先の配信のなかでもコメントしたのですが、ここまでくるとホラーとしかいいようがありません。

福島第一原子力発電所の処理水放出については、中国を除く世界各国からの理解と、日本の対応を信頼するという言質を得ています。韓国政府でさえ、２０２３年8月22日の声明によれば、「計画に科学的・技術的な問題はないと評価している。しかし必ずしも賛成したり支持したりするものではない」という反応です。

これはつまり、福島第一原子力発電所の処理水放出というアクションが世界標準に即し、世界の常識に適っているということです。

したがって中国政府が、世界標準から外れた常識知らずであるだけです。ただし、ややもすると日本でも、中国を批判しているような顔をしながら、処理水を科学的根拠のないままに危険視しホラー化したがる、いわゆる〝ド文系〟人間たちのふんわりとした悲観論や批判がはびこります。

「中国は頭が悪いだけ」と言い続けていればいいだけだと私は考えています。岸田文雄総理は、２０２３年8月24日の放出開始当日、自身のXで、

「中国政府が日本産水産物の輸入を全面的に一時停止する旨を発表したと承知しています。外交ルートで中国側に対して即時撤廃を求める申し入れを行いました。海洋放出の影響について科学的根拠に基づいて、専門家同士がしっかりと議論を行っていくよう中国政府

に強く働きかけてまいります」

と発信しましたが、私は、対抗措置として、中国産品の輸入禁止を直ちに実施すればよいと思います。国内生産者の減益対策としては、「ＧｏＴｏイート」を復活させる、また、福島支援のためには、「ふるさと納税」の産品比率上限を緩和する、などの政策に効果が期待できるはずです。

日本人は「世界標準」を甘く見ているか、あるいはそういったものについて無知と言わざるをえません。数量的に物事を考え判断することをせず、世界の常識に鈍感です。だから、たとえば処理水に関して、中国を批判しながらも、科学的根拠・数量的根拠のない「とはいえ」という疑惑なるものを一部の知識人ないし報道機関が発信すると、同じく数字の読めないマスコミがこれを増幅して漠然とした不安を醸成していきます。

そこで日本人の多くは、大いに利用すべき「世界標準」というものから離れていくことになります。

２０２２年2月24日のロシアによるウクライナ侵攻で、第２次世界大戦後の国際秩序の枠組みは一挙に破壊されました。ロシアの暴挙をどのように抑えるか、今後の国際秩序はどのように組み立てられるのか。今は誰もその答えを見出せずにいます。

日本周辺でいえば、台湾有事はより現実性を増していますし、北朝鮮は連日のようにミサイル発射実験と称して軍事演習を行っています。

そのような状況のなか、日本にますます必要となるのは、世界標準を押さえた上での国内問題への取り組みと対外的問題への取り組み、そして国民の、それを「正しく数量的に評価するセンス」です。

本書では、「経済」「安全保障」「国際社会」「ＡＩ」「行政」と多岐にわたるテーマを扱いながら、世界が常識とする考え方のキーポイント〝数量的な思考方法〟を明らかにしていきます。

髙橋洋一

数字で話せ！「世界標準」のニュースの読み方 ―目次―

第1部 日本経済を〝数字〟で再確認する

第1章 景気回復の世界標準は「増税」ではなく「財政出動」

CONTENTS

第2章

経済の基礎を学び、個人資産の運用を

第2部 平和のために防衛力を強化する

第3章 戦争と平和は「確率」で考える

第4章 〝ファクト〟と〝ロジック〟で、国際社会を生き抜け

第3部 理系思考で日本社会を改革する

第5章 「AI化」に正しく対応せよ

第6章 行政を叩くだけでは進展なし

CONTENTS

第7章 真実を見抜くための、ニュースの見方

第1部

日本経済を〝数字〟で再確認する

第1章

景気回復の世界標準は「増税」ではなく「財政出動」

「国の借金1000兆円」を正しく理解する

2023年8月10日、財務省は、同年6月末時点で国債と借入金および政府短期証券を合計したいわゆる「国の借金」が1276兆3155億円となり、そのうち、利払いや償還財源に将来の税収などの税財源があてられる普通国債の残高は2023年度末には1068兆円となる見込みだと発表しました。普通国債の残高が初めて1000兆円を超えたのは2022年度で1005兆7772億円でした。

いわゆる「国の借金」が1000兆円を超えたのは2013年のことで、当時から盛んに言われ始めた日本の借金1000兆円論というのは、「1000兆円の借金は国民一人あたりに直すと800万円になる。借金を子孫に背負わせてはいけない。借金を返すためには増税が必要だ」というのが論旨であり、これは、額はともかく財務省が1980年代あたりから一貫して主張してきている増税の根拠論です。2022年の後半からは数字が変わって、国民一人あたり800万円が1000万円に言い換えられてテレビや新聞で騒がられるようになりました。

2018年に財務省は、「日本の財政を家計にたとえると、借金はいくら?」という宣伝をYoutube動画などを使って盛んに展開しました。次のような内容です。

「仮に手取り月収30万円の家計にたとえると、毎月給料収入を上回る38万円の生活費を支出し、過去の借金の利息支払い分を含めて毎月17万円の新しい借金をしている状況です。

現在はこうした借金が累積して、約5400万円のローン残高を抱えていることになっています。家計の抜本的な見直しをしなければ、子供に莫大な借金を残し、いつかは破産してしまうほどの危険な状況です」

マスメディアはこの説明を鵜呑み(うの)にして騒ぎ、8％から10％への消費増税をバックアップしたわけです。

いわゆる国の借金について、いまだに右記のイメージで考えている人がいるかもしれませんが、そもそも財政を家計にたとえること自体が間違っています。経済学では、経済活動の単位を「家計」「企業」「政府」と分けますが、家計は貯蓄主体、企業は借り入れ主体が基本形です。家計の借り入れは企業ほど多くはなく、そして政府は借り入れ主体を基本としているので家計より企業に似ています。

問題は、政府を家計にたとえてしまうと「借り入れ＝悪」という結論に至りやすいところです。これでは正しい評価はできません。

企業においては、事業に必要な機械を購入したり不動産を購入したりするなどして債務を負うことで「資産」を得ます。重要なのは、借り入れが多いか少ないかではなく「資産」と「負債」のバランスです。

国の借金1276兆3155億円などというのは借り入れだけを見た話であって、見なければならないのは国の「資産」と「負債」の両方を確認した上でのバランスです。これを知ることができる日本の財務書類は、財務省のウェブサイトで誰でも簡単に入手することができます。

企業であれ政府であれ、財務書類の公開は常識です。「日本は財政破綻寸前だ」などというふうに財政という数字の話をしているにもかかわらず国の財務書類を見たこともない、あるいは、それがあることさえ知らないというのは非常識としかいいようがありません。

2023年3月29日に公開された令和3年度の財務書類のうち、「国の財務書類（一般会計・特別会計）」を見ていくことにします。書類は98ページありますが、今は1ページ目の「貸借対照表（バランスシート）」だけを見れば十分です。

ちなみに政府のバランスシートを初めてつくったのは1994年、当時大蔵省に在籍していた私です。そんなものを出すと面倒なことになるというので当初は公開が見送られたのですが、後に小泉純一郎総理（当時）が私の話を聞いて、「すぐに出せ」ということになりました。バランスシートは２００５年以降、現在も引き続き公開されています。

次ページのバランスシート（図表①）を見てください。向かって左の欄が「資産」、右の欄が「負債」です。令和４（２０２２）年３月で締めた日本の資産合計は７２３兆９４２０億６０００万円です。負債合計は１４１０兆９７２７億１０００万円です。資産合計から負債合計を引いた「資産・負債差額」はマイナス６８７兆３０６億５０００万円です。

この「資産・負債差額」が今の日本の「資産」と「負債」のバランスということです。「今の日本の財政状況はどんな具合か」という質問に対しては、借金がいくらいくらでというのではなく、「今の日本の純資産はマイナス６８７兆３０６億５０００万円」というのが正しい答え方です。

「日本にはいま借金が１０００兆円以上ある」などということは何の評価対象になるわけでもありません。問題は、この「日本の純資産はマイナス６８７兆３０６億５０００万円」をどう見るかということです。

図表① 日本国の貸借対照表

（単位：百万円）

	前会計年度（令和3年3月31日）	本会計年度（令和4年3月31日）		前会計年度（令和3年3月31日）	本会計年度（令和4年3月31日）
〈資産の部〉			〈負債の部〉		
現金・預金	69,463,685	48,260,028	未払金	10,710,654	10,689,779
有価証券	119,683,672	123,506,116	支払備金	311,398	303,472
たな卸資産	4,107,889	4,172,756	未払費用	1,119,229	1,079,843
未収金	6,800,275	6,053,239	保管金等	1,362,732	1,485,157
未収収益	578,822	599,642	前受金	58,690	70,332
未収(再)保険料	5,292,084	4,933,462	前受収益	662,346	658,666
前払費用	3,661,400	3,265,355	未経過(再)保険料	29,634	31,620
貸付金	120,092,838	123,206,471	賞与引当金	343,186	315,130
運用寄託金	112,553,157	113,708,958	政府短期証券	92,778,100	88,321,707
その他の債権等	5,156,604	10,675,735	公債	1,083,931,301	1,113,967,605
貸倒引当金	△1,612,957	△1,479,047	借入金	32,862,666	33,663,777
有形固定資産	191,271,659	193,368,498	預託金	7,070,137	10,425,847
国有財産(公共用財産を除く)	32,521,019	32,766,123	責任準備金	9,495,717	9,318,370
土地	19,439,784	19,238,347	公的年金預り金	121,797,947	122,276,744
立木竹	3,263,869	3,624,759	退職給付引当金	5,715,769	5,603,393
建物	3,412,176	3,385,158	その他の債務等	7,705,062	12,971,464
工作物	2,588,138	2,523,303			
機械器具	0	0			
船舶	1,588,827	1,556,127			
航空機	1,057,296	1,141,126			
建設仮勘定	1,170,927	1,297,301			
公共用財産	154,075,248	156,085,881			
公共用財産用地	40,250,440	40,408,096			
公共用財産施設	113,392,496	115,251,334			
建設仮勘定	432,311	426,449			
物品	4,653,965	4,508,762			
その他の固定資産	21,425	7,731	負債合計	1,375,954,353	1,410,972,710
無形固定資産	353,117	380,452	〈資産・負債差額の部〉		
出資金	83,388,788	93,290,389	資産・負債差額	△665,163,414	△687,030,650
資産合計	720,790,938	723,942,060	負債及び資産・負債差額合計	720,790,938	723,942,060

〈資料：財務省ウェブサイト〉

「統合バランスシート」で、国家財政を見るのが基本

マイナスの約687兆円という数字はもちろん一般人にとっては途方もない数字ですが、政府の話として見ると実は問題のないレベルの数字です。さらに言えば、今まで見てきたのは政府のみの一般会計・特別会計です。ところが政府は、いろいろな「子会社」ともいうべき組織を持ち、いわゆるグループ企業となっています。つまり、政府のバランスシートにはこれらグループ企業のバランスシートを連結させなければならないのです。

グループのなかで最もよく知られているのが「日本銀行（日銀）」です。日銀のバランスシートは日銀の公式ウェブサイトに、事業年度毎に更新されて公開されています。先の政府のバランスシートと同じ事業年度のバランスシートを見てみましょう（次ページの図表②）。

日銀の「資産」のなかで際立って大きな数字は「国債」の526兆1736億9875万2394円です。そして、日銀の「負債」のなかで際立って大きな数字は「当座預金」の563兆1784億8687万9201円と「発行銀行券」の119兆8707億775

図表② 日銀の貸借対照表（令和4年3月31日現在）

（単位：円）

科目	金額	科目	金額
（資産の部）		（負債の部）	
金地金	441,253,409,037	発行銀行券	119,870,775,898,807
現金	298,375,400,551	預金	589,747,362,365,186
国債	526,173,698,752,394	当座預金	563,178,486,879,201
コマーシャル・ペーパー等	2,514,385,047,260	その他預金	26,568,875,485,985
社債	8,583,033,503,685	政府預金	13,032,518,059,515
金銭の信託（信託財産株式）	457,566,711,411	当座預金	150,000,000,000
金銭の信託（信託財産指数連動型上場投資信託）	36,565,788,694,932	国内指定預金	12,564,293,810,498
金銭の信託（信託財産不動産投資信託）	666,135,965,460	その他政府預金	318,224,249,017
貸出金	151,532,888,000,000	売現先勘定	919,971,215,714
電子貸付	151,532,888,000,000	その他負債	279,941,212,158
外国為替	8,306,408,621,708	未払送金為替	22,369,026,365
外貨預け金	3,150,196,421,866	未払法人税等	189,620,000,000
外貨債券	2,754,880,111,072	リース債務	6,672,038,168
外貨投資信託	72,107,563,770	その他の負債	61,280,147,625
外貨貸付金	2,329,224,525,000	退職給付引当金	207,099,172,922
代理店勘定	4,723,922,571	債券取引損失引当金	5,601,023,993,013
その他資産	476,795,000,622	外国為替等取引損失引当金	1,892,450,000,000
取立未済切手手形	35,125,663	負債の部合計	731,551,141,917,315
預貯金保険機構出資金	225,000,000	（純資産の部）	
国際金融機関出資	15,278,374,364	資本金	100,000,000
政府勘定保管金	19,599,380,675	法定準備金	3,377,727,473,908
未収利息	432,957,061,105	特別準備金	13,196,452
その他の資産	8,700,058,815	当期剰余金	1,324,614,276,495
有形固定資産	232,059,808,131	純資産の部合計	4,702,454,946,855
建物	110,296,783,611		
土地	84,121,962,141		
リース資産	6,341,767,215		
建設仮勘定	20,229,647,574		
その他の有形固定資産	11,069,647,590		
無形固定資産	484,026,408		
権利金	484,026,408		
資産の部合計	736,253,596,864,170	負債および純資産の部合計	736,253,596,864,170

〈資料：日本銀行ウェブサイト〉

89万8807円です。

当座預金とは「民間金融機関の日銀当座預金」、発行銀行券とは「発行された日本銀行券」つまり紙幣のことです。両方とも「お金」のことですが、なぜお金が日銀の負債になるかというと、「お金」は会計学的には「日銀が発行する債務証券」だからです。

日銀は、民間金融機関が保有している国債を買って、その代金を民間金融機関の当座預金に振り込むか、または日銀券つまり紙幣を発行して渡します。そして、その価値を保証するのは発行元である日銀です。つまり「お金」は、日銀が発行する「証文」ということになるのです。したがって「発行銀行券」も「当座預金」も日銀の「負債」として計上されます。

ただし、負債とはいっても「銀行券」に対して日銀が利子を支払うことはありません。「当座預金」についても、経済状況によって利子を付ける補完当座預金制度やその逆のマイナス金利制度などの対応がとられる場合がありますが、それは限定・部分的な政策として実施されることがあるというだけの話です。

ポイントは、いずれにせよ「当座預金」は「発行銀行券」といつでも代替でき、「発行銀行券」は日銀にとって「負債」ではあっても無利子・無償還である、つまり「実質的な借金ではない」ということです。ですから、返す必要はありません。

ということは、日銀のバランスシートについては、「負債」はほとんどゼロであると読むことができます。なので、日銀の「資産」は「国債」の526兆1736億9875万2394円、約526兆円と読むことができるのです。

そして日銀のこの「資産」の数字は、日本政府のバランスシートに連結させることができます。日銀の「資産」約526兆円が、ほぼそのまま政府の「資産」に加わりますから、政府の「資産・負債差額」はマイナス約687兆円からマイナス161兆円まで下がります。

なお、政府のバランスシートはマイナス、つまり負債が少し多いくらいであればまったく問題ありません。

このように、政府と日銀のような中央銀行のバランスシートを連結したものを「統合バランスシート」と呼びます。政府の財務状況は統合バランスシートで見るのが現在の世界標準です。

「政府の借金」と「個人の借金」はまったく違う

政府のバランスシートを見ればわかる通り、負債の最大の数字は公債（国債と地方債の総称）で、ここでは日本政府の話ですから国債を指し、令和３年度においては１１１３兆９６７６億５０００万円ということになります。最近、この国債の利払い費が何かと騒がれているようです。

来るべき年度の予算編成に向けて各省庁が取り組みたい事業および必要費用の見積を盛り込んだ要求書を財務省に提出することを「概算要求」といい、毎年８月末に提出が締め切られます。２０２４年度予算編成に向けて２０２３年８月31日に締め切られた概算要求の総額が１１４兆円を超える見通しであることが報道されました。

２０２２年に出された２０２３年度予算向けの概算要求は１１０兆４８４億円でした。過去最大だったのは２０２２年度予算向けの概算要求の１１１兆６５５９億円でしたが、２０２４年度予算の概算要求額はそれを上回ることになるでしょう。

概算要求額が膨らむ理由については、防衛費がこれまでの最大となるほか、国債費や社会保障費も膨らむからだとされています。国債の利払い費を計算する際に使う想定金利は、過去最低だった2023年度の1・1%から1・5%に引き上げる方針と報じられています。

そこをつかまえて鬼の首でもとったかのように、「国債を発行しすぎたおかげで毎年2兆円を超える利払いが発生している。この数字は膨らみ続けている。日本は世界一の借金大国だ」と言い募るコメンテーターが2023年9月を境にテレビのワイドショーを中心に散見し始めました。

結論から先に言うと、これはまったくたいした話ではありません。「つまらない話でガタガタ騒ぐな」という類(たぐ)いの話です。

国債利払い費については、財務省理財局から財務省主計局に対して予算要求が行われます。私は現役官僚の時代に、その予算要求を担当したことがあります。生真面目(きまじめ)に金利を計算して国債利払い費の概算要求を財務省主計局に提出したところ、主計局の担当者から苦笑いされ、「額が少ない、もっと要求しろ」という意味のサインを送られました。先輩からは、2兆円くらい余る程度に予算を積んでおけばいいとアドバイスされたものです。

なぜ財務省主計局が過大に利払い費を要求させるのかといえば、秋に予定される補正予算の財源づくりが理由です。補正予算を組むタイミングにおいては、その年度中の金利や利払い費がだいたい確かなものになりますから利払い費を下方修正して、浮いた分を補正予算財源に回すわけです。２０２２年度２次補正でも、この方法で１兆円程度の財源を捻出しています。このように扱われるのが国債の利払いというものです。

そして国債については、知っておいた方がいいポイントが２つあります。日銀が国債を買い取ると政府の借金は消えるということがまず１つ。もう１つは、政府が日銀に払った国債の利払い費は納付金というかたちで日銀から戻ってくるということです。

正確に言うと、日銀が国債を買い取ったところで借金が消えるわけではありません。日銀が国債を買い取ることで、政府においては「借金について回る利払いが事実上なくなる状態となる」ということです。

国債は借金ですから、政府は必ず国債所有者に利払いをしなければなりません。その国債を日銀が持っているということは、政府は日銀に利払いを行うということです。ところが、日銀は政府の子会社です。

日銀はお札を刷り、そのお金で国債を買います。国債を買ったことで生じる利払いとの差額がまるまる日銀の収益となります。そして、政府はその収益を１００％受け取ります。

これがいわゆる「日銀納付金」と呼ばれるもので、「日銀は政府の子会社」という言い方の根拠となるものです。民間とまったく同じです。どこかの会社の子会社になれば、収益はすべて親会社のものとなるのが普通です。

日銀納付金のあり方は「日本銀行法」という法律で定められており、必ず国庫に納付されます。つまり、政府がいくら日銀に利払いを行っても、すべては日銀納付金で取れますから、利払いをしていないのと同じことになります。

元金については現金で償還するのが普通ですが、国債を持っているのは日銀ですから現金を使う必要はありません。どうするかというと、償還期限がきたら国債を渡します。いわば100％の借り換えをずっと繰り返すわけです。

新しく国債が発行された場合、それを日銀が買えばその分が上積みされていきます。買わない限りは、ずっと同じ残高のままですので、償還期限がきたら借り換えるという方法を繰り返します。政府は利払いを行いますが、それは日銀納付金というかたちで国庫納付金として受け取ります。

前掲の日銀のバランスシートを見ると、資産として持っている「国債」は526兆1736億9875万2394円です。政府の負債である国債（公債）1113兆9676億

500万円の半分ほどは日銀が持っている国債です。そしてそれは、実際には利払いも償還も行われない借金です。

残る約587兆円の国債は確かに事実上民間からの借金ですが、一方で政府は500兆円を超える金融資産を保有しています。この金融資産で入ってくる利息は、国債の実際の利払いとトントンまたは黒字が出るくらいのものになります。つまり、政府の借金というのはたいした問題ではないということができるのです。

国債を発行するなどして調達する政府の借金は、企業が事業を展開するためにする借金と同じです。決めた予算のうち、税収でまかなえない分については国債を発行して調達します。

聞きかじった部分的な情報だけで、「国債の利払いが2兆円を超えて膨らみ続けている」などとしたり顔で眉を顰(ひそ)めて言っている人は、政府の借金と個人の借金を同じイメージで捉えることしかできず、「国債は借金で悪いものだからダメである」という発想のなかでしか物事を考えることができない人ということです。

そして、それは、「景気が悪くなってもかまわない」あるいは「増税されてもかまわない」と言っているのとまったく同じことなのだということを知っておきましょう。

消費増税による景気悪化は実証済み

現・岸田文雄政権はアベノミクスを潰して、財務省主導型の増税路線に舵を切ったように見えます。昨今、「ステルス増税」という言葉がよく使われるようになりました。いつのまにか国民の負担が増えている政策、つまり目に見えない増税にあたるような複数の政策の実施が、２０２３年、２０２４年に控えているという意味です。

２０２３年10月１日から導入が開始された「インボイス制度」もステルス増税のひとつとしてカウントされているようです。私は消費増税には反対ですが、消費税を公平に取るという観点からインボイス制度には賛成です。インボイス制度は、消費税が導入されている国であれば世界中のどこでも採用されている普遍的な制度です。

日本にはこれまでインボイス制度がありませんでした。消費税非課税業者は、消費税を取りつつ、それを納税せずに自分の利益とすることが認められていました。いわゆる「益税」です。インボイス制度は、各取引において消費税を明記し、益税、いわば税のゴマカシを一掃しようという制度です。

ちなみに、私はテレビ出演もしますが、その出演料はいわゆる消費税と出演料が込みのものです。消費増税のときに、その「出演料＋消費税」は据え置きでした。つまり、出演料は消費増税の分だけ値引きされたのです。しかし、テレビ局は一般企業からは消費税をもらっています。つまり、消費増税になるとテレビ局は本来出演者に払うべき消費税を払わずに自分のところにおいていたのです。テレビ局が消費税を払っていても、出演者との間にいる制作会社が自分の懐に入れていたというケースもあります。インボイス制度でこうしたやり方はなくなるでしょう。

インボイス制度のような、税の公平性が確保される制度は世界の常識です。公平性の確保によって増収になるのであればなおお良いということになるでしょう。

消費増税で景気が悪化することは、2014年に消費税が5％から8％に、2019年に8％から10％に引き上げられたときの景気動向から実証済みです。

どうして消費税を上げると景気が悪くなるのでしょうか。これは、マクロ経済学の用語ですが「総需要」を使って考えると明確にわかります。

総需要とは、簡単にいうと国全体の需要ということです。その内訳は「消費＋投資＋政府需要＋輸出－輸入」で表されます。これらの内訳に消費増税が与える影響を考えていけばいいわけです。

増税すると「消費」は落ちます。増税前なら１０８０円で買えていたものが１１００円になるのだから買い控える人が増えて当然です。

「投資」は消費税とはあまり関係ありません。変わらないと考えていいでしょう。

「政府需要」は上がります。増税で政府の収入が増えるからです。一部は債務返済に回しますが残りは政府支出に回ります。

「輸出」はあまり変わりませんが、「輸入」は落ちる可能性が高いと考えられます。輸入品にも消費税がかかるからです。ただし、輸出入には為替変動が関わりますから、「輸出」と「輸入」はとりあえずここでは相手にはしないでおきます。

消費増税は、「消費が落ちる」と「政府需要が上がる」の２点に対して大きな影響力を持ちます。

「政府需要が上がる」という点では景気が上がることに期待が持てるのではないかと言われるかもしれませんが、増税分がすべて効率よく政府支出されるわけではありません。また、政府のやることには必ず無駄が生じることは歴史が証明しています。

したがって、問題は「消費が落ちる」です。とにかく税金は強制ですから、消費マインドというものに大きく影響します。そこから波及するのは悪影響でしかありません。

詳しい説明は省きますが、この影響を経済の基本である需要と供給の関係図に落としこんでみると、明らかに「物価が下がり」「実質ＧＤＰが下がる」のです。これが消費増税で景気が悪化するメカニズムです。

「消費税を上げても景気は悪くならない」と言う経済学者や評論家も一部にはいますが、彼らにはそう言わなければならない何かしらの事情があるのでしょう。

また、消費増税で景気は悪くなったわけですが、そこを指摘すると「短期的には悪化しても長期的にはメリットがある」という答えが返ってくることがあります。

「長期的」とはどれくらいの時間を指しているのか、彼らは明らかにしません。たとえば消費増税の30年後に景気が上向きになったとします。さまざまな経済政策や民間の努力で不況を脱するわけですが、そのときに至って彼らは、「これは30年前に消費税を上げた結果である」と言うのでしょうか。そしてそれを証明できるとでも言うのでしょうか。

「長期的には、われわれはみな死んでいる」という名言を残したのはイギリスの経済学者・ケインズです。「長期的」とばかり言う経済学者や評論家の言説はまず疑ってかかった方がいいでしょう。

また、消費増税必要論のひとつに、「消費増税は世代間格差を是正する」というものがあります。

日本は超高齢化社会にあり、「貧しい若者・豊かな高齢者」という構図が定着しています。「年金受給者は所得税を免れる一方、若者は所得税に加えて年金保険料を強いられているという状況がある。これは不公平だから、万人から等しく取る消費税を上げて対応すべきである」という理屈です。

「格差」を問題とするのであれば、万人に等しくかかる種類の税の増税では是正できません。消費税は、豊かな者にとっては痛くも痒くもなく、貧しい者にとっては、ほんのわずかな増税でも生活に響きます。

世代間格差に限りませんが、格差を是正するのであれば所得税を増税するのが適当です。あるところからはより多く、ないところからはより少なく税金を取る累進課税は、所得分配という意味において最も理にかなっている制度です。

豊かな高齢者もいれば貧しい高齢者もいます。貧しい若者もいれば豊かな若者もいます。「世代間格差問題」を消費増税推進の論拠とすることは、そもそもその問題設定自体が間違っているといえるでしょう。

まったく問題がない、日本の国家財政

以前から経済評論家の間で議論はされていましたが、「日本の国家財政破綻」というフレーズが一躍注目を浴びたのは、2021年の月刊誌『文藝春秋』11月号に掲載された当時現役の財務事務次官・矢野康治氏による《財務次官、モノ申す「このままでは国家財政は破綻する」》というタイトルの記事がきっかけでした。通称「矢野論文」と呼ばれています。その内容を要約すると、《現在、国の債務は地方と合わせて1166兆円に上る。GDPの2・2倍にあたり、先進国でもずば抜けて高い水準にあるにもかかわらず、政治の世界では、数十兆円規模の経済対策や消費税率の引き下げなど「バラマキ合戦」のような政策論が横行している。このままバラマキを続けて、国の借金が膨らみ続ければ、国家財政はいずれ破綻する》ということになります。

矢野氏は2005年に『決断！待ったなしの日本財政危機―平成の子どもたちの未来のために』（東信堂）という著書を出していますが、そのなかで、「ワニの口」なるグラフを

図表③　日本財政の推移（「ワニの口」のグラフ）

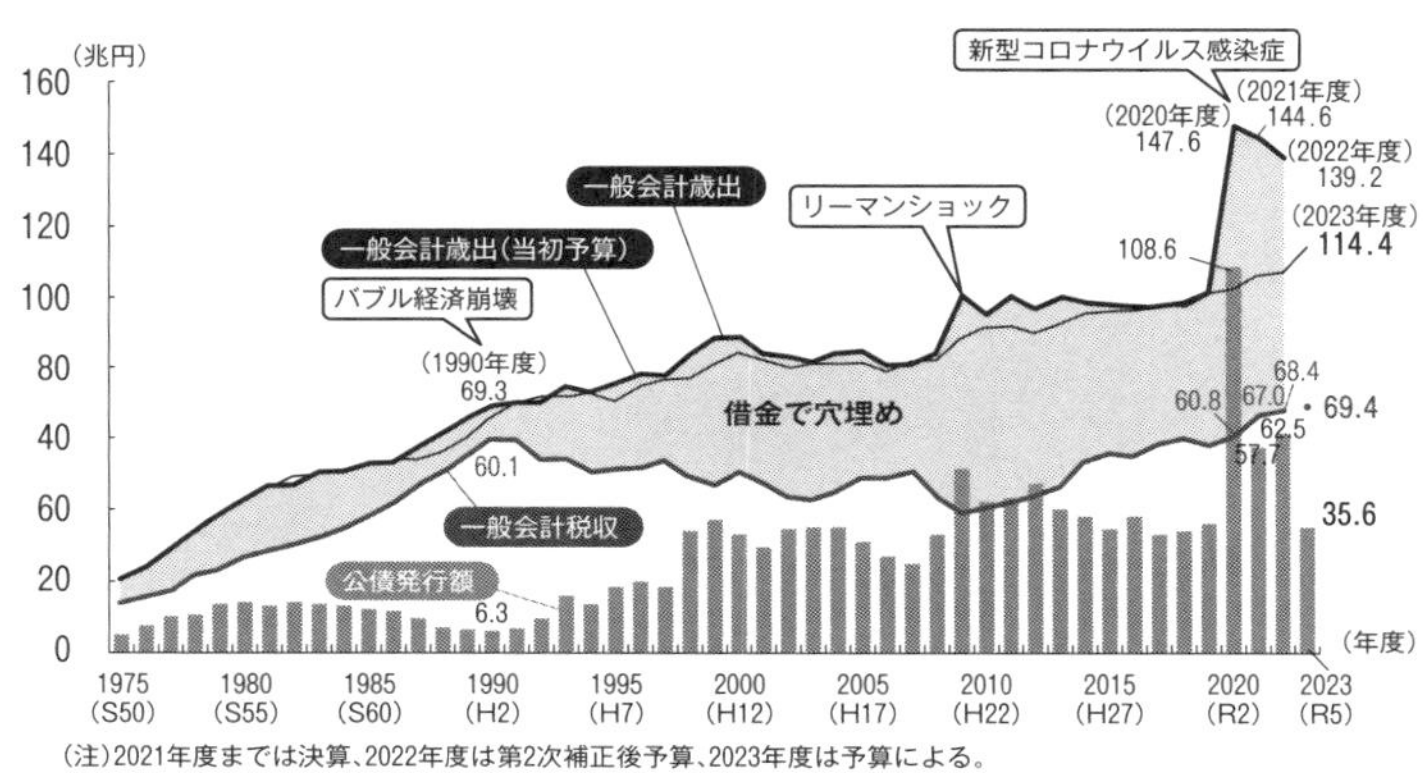

（注）2021年度までは決算、2022年度は第2次補正後予算、2023年度は予算による。

〈資料：財務省ウェブサイト〉

紹介し、そのデータを財政危機の根拠としていました。一般会計の歳出・歳入の推移をグラフで提示し、歳出総額が増加して税収が現象しているという折れ線グラフの様子を「ワニの口」にたとえたわけです。これは現在、2023年度に至るデータに更新されて財務省ウェブサイトの「財務省キッズコーナー・ファイナンスらんど」のQ&Aのコーナーに掲載されています（図表③）。そこでは「歳出と税収の差はワニの口のように開き、税収の不足を補う公債の残高がどんどん積み上がってきています」と子供たちに説明しています。

矢野氏、そして財務省もまた、この「ワ

ニの口」と称される一般会計収支の不均衡と債務残高の大きさだけを財政危機ないし財政破綻の根拠としているわけですが、これはデータとしては欠陥品です。会計学の立場から見れば、企業の一部門の収支とバランスシートの右側の負債だけしか記載されていないからです。資産と負債のバランスの概念がすっかり抜けています。

政府にとって「日銀は会計的には連結対象であり、財務分析においては連結すべきである」という考え方もここにはありません。財務省のウェブサイトに公開されている財務諸表には一般会計・特別会計とは別に連結ベースの財務諸表もありますが、ここでも日銀は連結されていません。これもまたたいへん不思議なことです。

いずれにせよ、先にお話しした通り、日銀を連結したバランスシートで評価すれば日本政府の財政は危機ではありません。

金融工学の立場で見てみましょう。企業や国などの破綻リスクを売買するデリバティブ（金融派生商品）を「クレジット・デフォルト・スワップ（CDS、Credit Default Swap）」といいますが、日本国債の5年CDSの評価から換算すると、日本の5年以内の破綻確率は1％にも届きません。

会計学的、また金融工学的に見れば明らかな通り、矢野氏をはじめとする人々の財政破綻論は、「降水確率がゼロなのに台風が来ると言って騒いでいる」ようなものです。特に「矢野論文」の一件は、日本の財務省のトップには会計学・金融工学の基礎知識のない人が居座っているということを世界に知らしめる結果となりました。

財務省が脅しをかけ続ける理由

その兆しさえないにもかかわらず、財務省はいまだに「財政破綻」を唱え続けています。２０２０年に新型コロナ禍対策として国民一人あたり10万円の特別定額給付金が配られたときにも、過去最大の予算規模１０７兆円といった数字に対して、財務省は「子孫にツケを回すことになる」という懸念を発し続けていました。

そもそも国家財政を借金の側面だけで考えるのは、会計学、金融工学から見ておかしな話です。世界標準の一般常識が財務省には通じないのです。

国家公務員I種合格者で本庁採用者のことを「キャリア」と呼びますが、財務省キャリアは東大法学部出身者が多いことで知られています。そして、東大法学部では会計学、金融工学はあまり教えられていません。また、金融工学や会計学は東大では実学とみなされていて、学問としてのレベルは低いとされています。

財務官僚のなかには、国の財政状況は会計的な財務諸表ではわからない、と高を括っている人もいますが、企業会計から派生した「公会計」、つまり国や地方公共団体に特化した会計処理理論があり、そこでこそ会計原理がフルに機能しているのが世界の標準なのだ、ということを知るべきでしょう。

財務省はどうして財政破綻論を唱え続けるのでしょうか。それは、財務省は隙があれば増税に踏み切りたい人たちの集団だからです。財政破綻論は増税のために存在します。

増税するのは、増やした税金で財政再建をしたいからではありません。増税すると使えるお金が増え、「歳出権」と呼ばれる財務省の予算権限が強くなって、各省庁に恩を売ることができるからです。

景気が良くなって経済成長すれば税収は増えますが、それでは財務省の手柄にはなりません。増税してはじめて、「予算が膨らんだのは財務省のおかげ」ということになります。

どうして恩を売ることが重要なのかといえば、そこに〝天下り〟があるからです。恩を受けた省庁は、その見返りとして、自分たちが管轄する法人組織などに財務省からの天下りを受け入れさせます。

増税にはほぼ必ず「例外措置」が設けられます。たとえば消費税10％への増税のとき、新聞社は「軽減税率」が摘要されて購読にかかる消費税は8％に据え置かれました。一律に増税されるわけではなく、特定の業界に優遇措置がとられることがあるわけです。

この例外措置がどこにどのようにとられるか、それは財務省のさじ加減で決まります。もちろん、そこにはもっともらしい理屈がつけられるわけですが、裏で働いているのは、特別扱いすることによって得られるその業界の利益計算です。目的は、その業界における〝天下り先の確保〟です。

第2章

経済の基礎を学び、個人資産の運用を

「借金」＝「悪」ではない

2023年8月17日に中国の不動産大手・恒大集団がニューヨークで連邦破産法第15条の適用を申請したことが報道されて話題になりました。

日常生活のなかで破産という言葉が出てきた場合には、「財産をすっかり失ってしまった」というような意味ですが、法律上の破産は、「支払不能または債務超過にある債務者（この場合は恒大集団）の財産などを適正かつ公平に清算して債務者の経済生活の再生の機会を図るための法的手続きが開始される」ことをいいます。

しかし一方で恒大集団については、その10日あまり後の28日、香港市場で約1年5カ月ぶりに株式取引が再開されたことが報じられていました。中国のやることはわけがわかりません。ニューヨークでの申請についても破産ではないことを強調して、「海外の債務再編を正常に推進するためのものだ」という声明を出しています。

2022年12月に発表された財務諸表によれば恒大集団は資産が36兆円で負債が48兆円であり、12兆円の債務超過です。テレビや新聞などのニュースでは「負債が48兆円もある、たいへんだ」という話しか出てこないのがほとんどです。負債額だけでは議論のしようがありません。資産とのバランス、債務超過の数字を見てはじめて議論ができるのです。

恒大集団は国営企業で、国営銀行があるからなんとか資金繰りされているのでしょうが、この負債はいつか誰かが負担しなくてはなりません。いつ潰れてもおかしくないという状況ですから、「恒大集団とは不動産取引など到底できない相談だ」ということになります。

この恒大集団のような「債務者」に対して一定の権利（債権）を持っている人、たとえば金銭の支払いや物の受け渡し、仕事の完了などを請求できる権利を持っている人のことを「債権者」といいます。簡単にいうと、お金を貸している人は「債権者」、借りている人は「債務者」です。


「不良債権」という用語があります。何らかの事情で回収不能になっている債権のことですが、バブル崩壊後の１９９０年代の日本で、この不良債権が大問題となったことがありました。銀行の、延滞を含む不良債権額が１９９２年の時点で約８兆円、１９９３年に約13兆円、１９９５年に約40兆円、ピークの２００２年には52兆円が回収不能となっていました。

いわゆる不動産バブルのなか、過剰融資が横行したのが原因とされています。対応には思い切った手術も必要で、金融機関の経営破綻や、金融業界の大規模な再編成が行われて今に至っています。

実は、私は1993年に当時の大蔵省キャリア官僚としては異例の金融検査官となって不良債権処理を命じられました。そして当時は「不良債権処理の大魔王」というもののしい異名を頂戴していました。

実地に銀行に入って不良債権処理を命じるとともに、処理のための理論書を執筆しました。『金融機関の債権償却』というタイトルのその書は表紙が青かったので「青本」と呼ばれ、不良債権処理のバイブルとして活用されるとともに、不良債権処理関連の商法違反事件などの裁判でしばしば引用されるものとなっています。

さて、この「不良債権」という用語にどんなイメージを持つかで、経済、つまりお金というものに対するセンスがわかります。たとえば「不良債権52兆円」と聞いたとき、「よからぬものが52兆円もある、たいへんだ、52兆円の大損だ」とイメージしてしまう人が多いはずです。

まずちゃんと知っておかなければならないのは、「債権は資産のひとつである」ということです。資産には、そのかたちとして預金や土地家屋、有価証券などいろいろありますが、債権も資産であって、バランスシート上では左側の欄に記入されます。

では、不良債権とはどういう債権のことをいうのでしょうか。たとえば、Ａという会社の株を２００万円で買ったとしましょう。帳簿には買ったときの金額が記録されます。これを「帳簿価格」といいます。

そしてこのＡ社の株が１２０万円に下がってしまったとします。この１２０万円のことを「実質価格」といいます。

「帳簿価格＝実質価格」あるいは「帳簿価格＜実質価格」であれば問題ないわけですが、２００万円から１２０万円に下がってしまったわけですから「帳簿価格＞実質価格」で損をすることになります。これは問題です。「帳簿価格＞実質価格」となったＡ社の株は「損をさせる＝不良」ということになって「不良債権」と呼ばれます。厳密には理論があって、帳簿価格より一定以上実質価格が低い場合に不良債権となります。

帳簿価格と実質価格に差があると損になる可能性があります。その差額のことを「不良債権損失額」といいます。「不良債権額」と「不良債権損失額」は違います。

つまり、「不良債権52兆円」とだけ聞いて、「たいへんだ」と思うことには意味がありません。会計学の知識に乏しい人たちが集まっているテレビや新聞などの情報であればなおさらですが、「不良債権52兆円」が「帳簿価格52兆円の不良債権」を意味しているのか、「不良債権損失額が52兆円」のどちらを意味しているのか、はっきりとしていない場合が多いからです。

たいへんな事態なのか、そうでないのかを正確に判断するためには、不良債権となっている債権の額がいくらで、予想される不良債権損失額がいくらになるか、ということをまず明確化する必要があります。

数字は常にそこにあるわけですから、問題はこうした考え方がとれるかどうかです。数字が読めない人、いわゆる文系の人たちは、借金あるいは負債という言葉に過敏で、資産についてはよくわかっていない場合が多いものです。

たとえば「今の私はローン残高の方が資産よりも大きい」などとんでもないことを言う人がいます。こういうことを言い出すのは、数字をしっかり読んだことがないからです。これなどは「自分のバランスシート」をつくってみればすぐにわかることです。

ローン残高はだんだん減ります。資産の方もだんだん減りますが、資産の方が大きいに決まっています。そうでなければ銀行などの金融機関は即刻、取り立てに来るはずです。取り立てに来ない限りは資産の方が大きいのです。

金融機関は、将来的には不透明だとしても、今の収入が将来まで続き、返済額よりも収入の方が多いと見越して融資します。だから取り立てに来ることもないわけですが、この将来の収入も資産価値で考えることができます。これを「資産化」といいます。資産化して将来の収入を割り戻してやると、たとえば保険金支払額の計算などに使われる「現在価値」が出てきます。それが今の私の資産の価値ということです。

同様に、返済の方も現在価値化することができます。収入と返済の両方を現在価値化してバランスシートに足し算していくと、収入の現在価値の方が負債の現在価値よりも大きいということがわかるはずです。

世の中の多くの人は、資産とは何かということがよくわかっていません。したがって負債あるいは借金を問答無用でよろしくないものとして考えてしまいます。そのマインドを利用しているのが、国の借金ばかりを言い募って国家財政破綻の危機を煽り立てる、財務省の増税プロパガンダでもあるのです。

そもそも「投資」とは何か

2023年の9月頃、投資に関連して、よからぬ出来事がありました。私の名を騙って投資勧誘する、FacebookやLINE上でのSNS広告が出回ったのです。

もちろん、これらは私に無断で行われたものです。私は一切、関係ありません。これは刑法の詐欺罪にあたります。金融商品取引法上の無登録投資助言業にも該当します。詐欺罪は懲役10年以内、無登録投資助言業は懲役5年以内もしくは罰金500万円以内の罪に処せられます。

ただ、事実として詐欺ではあっても、初めてその広告を目にしたときに広告内容の真偽を見分けることはやはり難しいことではあります。その広告は、FacebookにQRコードを提示してLINEに誘導するという手口をとっていました。私はかねてからLINEのデータ保護に関する危険性の話をしています。そこでピンときて「これは詐欺広告だ」と判断した人もいたようです。私は複数のスマホを持っていますが、LINEを参照する必要があるときには、自分独自の情報、特に電話帳などが入っていないスマホを使います。

また、そもそも私が投資のアドバイスをするはずがないことを知っていたので、これは詐欺広告だと判断した人もいたようです。私は日頃から、「本当に有利な投資情報を知っているなら、わずかな助言報酬で他人に教えるよりも自分が投資する方が合理的である」と公言しています。

2023年6月30日、岸田首相が改めて「資産所得倍増元年－貯蓄から投資へ」というタイトルのメッセージを動画とともに首相官邸のウェブサイトに出しました。『今年（2023年）を「資産所得倍増元年」とし、「貯蓄から投資へ」のシフトを大胆かつ抜本的に進めていきます』というもので、具体的には新ＮＩＳＡ（ニーサ：少額投資非課税制度）の非課税枠・期間の制度拡充について説明されています。

「貯蓄から投資へ」というのは別に新しいスローガンではなくて、2001年に当時の小泉内閣がまとめた「骨太の方針」に「貯蓄優遇から投資優遇への金融の在り方の切り替え」と書かれて以来の、一貫した政府方針です。

ただし、「貯蓄から投資へ」というのは、私に言わせれば、「何を言っているの？」という話です。多くの人は、おそらくは「貯蓄」と「投資」は違うものだと思っているはずですが、ここに誤解があるのです。

貯蓄というのは普通、預貯金を指します。投資というのは一般的に、株式を買うことを指します。なぜ「預」貯金と呼ばれるかというと、銀行の方はお金を預かって投資に回すからです。つまり、預貯金をしても株式を買っても、結果的には企業にお金が行く、つまり投資となります。

これは経済学上の有名な原理です。「所得から消費を引いた数字が貯蓄であり、それは投資と同じ額である」という言い方をします。

そういう意味において、貯蓄は投資と同じです。貯蓄はすべて投資となるわけです。したがって「貯蓄から投資へ」というのはわけがわかりません。経済学を勉強したことのある人はまずそう考えるでしょう。

要は、政府は、銀行に預金するよりも株式を直接買った方がいいと言っているわけですが、預金というかたちで銀行を経由して行う投資ではなく、銀行ではなく証券会社を経由して行う投資を勧めているわけです。これははっきりいって証券会社の回し者に近い言い方です。

政策においてはこういう言葉遣いには慎重になる必要があります。私は第1次安倍政権で内閣参事官を務めましたが、当時、安倍首相も「貯蓄から投資へ」と言いたがっていたのを右記の理由で止める立場に立ちました。経済全体の話をされた方がいいんじゃないですか、ということです。

所得を増やせば、所得から消費を引いた数字が貯蓄ですから、自動的に貯蓄が増える、つまりは投資が増えるということになります。所得を増やすために一番最初にやらなければならないことは失業率の改善であり、失業率が下がれば賃金も上がって所得も増える、という話をしたのです。

岸田政権が政権発足当時に口にしていた令和版所得倍増計画を粛々とやっていけば結果として貯蓄が増え投資も増えるということになるわけですが、「資産所得倍増計画」というと話が小さくなります。資産所得というのは所得の一部であり、金融商品から上がってくる所得のことをそう呼ぶだけの話です。具体的には金利あるいは株式の配当金を指すわけですが、そこだけを倍増するという話になってしまっています。

本当は所得全体の倍増を目指すべきであるところが、結果的に証券会社の肩を持つだけの話になってしまっているといえるでしょう。これは、株式になじみのない官僚だからこそ陥りやすい間違いの典型例でもあります。新聞記者も同じですが、官僚は、取り扱う情報の性質からインサイダー取引を疑われやすい立場にあるために株式は行わないのが普通なのです。

「おすすめ資産運用」の真実

岸田内閣が「資産所得倍増元年－貯蓄から投資へ」のひとつの具体策として特に力を入れているのが2024年1月適用の新NISA制度です。どちらにしても証券会社に口座をつくりお金を預けて運用するわけですが、金融庁が選定した一定の投資信託に投資する「つみたて投資枠」と、一部を除く上場株式ないし投資信託から自分で選んで投資する「成長投資枠」の2つの枠があり、つみたて投資枠は年間120万円まで、成長投資枠は年間240万円まで無期限に非課税であり、生涯非課税限度額は一人あたり両枠合計1800万円で、成長投資枠においてはそのうちの最大1200万円までが非課税になります。

非課税というのは、配当金や譲渡益などで得た利益に税金がかからないということです。証券会社にとっては新規顧客開拓のチャンスですから、各社ともウェブサイトなどで盛んにプロモーションを行っています。

NISAはNippon Individual Savings Accountの略です。Individual Savings Account

はイギリスの個人対象の小口投資口座のことで、その日本版ということなのですが、これは世界各国でよく見られる制度です。ポイントは、収益について非課税枠が設けられるということです。

非課税枠があるわけですから、食わず嫌いで株取引をまったくやらないできたという人たちにとっては、その入口として新ＮＩＳＡはおもしろいものであるかもしれません。ただし、いくら非課税枠を利用すれば得で合理的だとはいえ、株式投資によって生計を立てている人にとっては、つみたて投資枠・年間１２０万円、成長投資枠・年間２４０万円の非課税枠などは少額すぎて、ほんの少しのことでしかありません。ないよりはいいという程度のものです。

新ＮＩＳＡは、簡単にいえば証券会社をはじめとする金融機関の新規顧客開拓のための撒き餌です。お勧めの話に乗るか乗らないかはもちろん個人の判断と自己責任ですが、金融機関の話に乗るということは、手数料を取られて金融機関の社員を食わせてやるということに他なりません。

私は、私とまったく関係のない会社の社員を私のお金で養うような慈善事業をやるつもりはありませんから、基本的に、いわゆる投資はやりません。粛々と、自分のお金は自分で貯めておきます。

その方が、リスクはなく、お金をどう使っていくかの計画もはるかに立てやすいからです。投資をしたければ、金融商品に手を出すのではなく、自分の仕事まわりのことにお金を出す方がよいでしょう。

老後の備えにしたいのであれば貯蓄が一番でしょう。預金にはさほど利子は付きませんが、自分のお金の何割かを手数料として持っていかれることもありません。

どうしても投資をやりたいという人に対しては、私は国債を勧めることにしています。国債は売り買いにかかる手数料がほとんどなく、金融機関から手数料を収奪されることもありません。

あまり知られていないようですが、国債は銀行で買うことができます。あまり知られていないというのは、銀行は国債販売の告知を積極的にはしないからです。

個人向け国債は毎月募集がかかります。そして、翌月発行されるものを購入できます。ところが銀行は、募集がかかったと思ったらすぐに「いっぱいになりました」と締め切ってしまいます。

国債の販売数量が少ないなどといったことではなく、これは銀行側の事情によるものです。国債は利回りの高い商品です。銀行の預金につく利子より高いので、銀行の預金が見劣りしてしまうわけです。だから銀行は、国債を積極的に売らないどころか自分で買いまず。

国債の利回りが預金金利より高いという状況は他国ではありえないことです。世界のどの国を見ても、たいていは国債の金利が一番低く、銀行預金の金利がそれより少しだけ高くなっています。

両者が逆転している日本は異例です。銀行は高い利回りの国債を買う一方、国債より金利の低い預金を受け入れて、その利ざやで儲けています。こんなやり方がまかり通っているのは日本くらいのものです。

この話をするたびに各方面から抗議や脅しの類がくるのですが、私は誰が見ても明らかな事実を言っているだけです。一般の人に国債を勧めると自分の利益が目減りしてしまうので、銀行は国債を積極的には売らないのです。

お金が余っているからという理由で株式市場に手を出すのはやめておいた方がいいでしょう。「割引率」といった用語の意味もよくわからない人であればなおさらです。下手に手を出さないに限ります。金融機関を儲けさせるだけです。ただし、株式投資家たちがどんなデータ、数字を見て投資を行っているかということは知っておいた方がいいでしょう。

そもそも株価はどのように決まっていくかというと、「将来の見込みを先取りしていくことで決まっていく」といえます。いま起こっていることから将来を予測するということですが、これはつまり夢を先取りすることで株価は決まっていくということです。だいたい半年ほどの将来を見て株式市場は動きます。

新型コロナ禍による不況の真っ只中にあった２０２０年11月、日経平均株価が大幅に上がって世間を騒がせたことがあります。月次終値が２万６４３３円62銭で、30年４カ月ぶりの高水準でした。

不況の真っ只中にありながらなぜ株価が上がったのか、その答えは「わからない」が正解です。わかるのであれば投資家たちは苦労しません。

ただし、当時、どういう状況にあったのかはわかっています。2020年11月、アメリカの製薬会社であるファイザー社とモデルナ社が、「開発したワクチンにおいて90％を超える予防効果を確認した」というデータを公表しました。株式市場は、ならば「ワクチン投与が2020年内に開始される可能性が高く、半年後くらいには世界中で多くの人たちがワクチンを使うから新型コロナウイルスはたいした問題ではなくなる」という夢を先取りして、関連株を買っておいた方がいい、ということになり株価が上昇したわけです。

株式市場にとって最もまずいのは、「先がわからない」ということです。予測が正しいか間違っているかは問題ではなく、予測が明らかになることで株価は動きます。「予測が明らかになる」ということは、安心できるということであり、そして日本の株価はアメリカに連動して上下します。これを「連れ高（つれだか）」といいます。

日本の株価は、アメリカの株価と為替の動きでだいたい決まります。為替の変動がない限り、アメリカの株価の動きのみで決まるのです。

為替の変動は、ドルと円の関係であれば、アメリカと日本の金融政策の差で決まります。アメリカが金融緩和すれば円高傾向となります。それが2023年の円高傾向ということですが、その際には日本も金融緩和することで為替は動かないということになります。2

023年9月22日の日銀の金融政策決定会合で、植田和男総裁が黒田東彦前総裁が推し進めてきた金融緩和を引き継ぐ姿勢を強調したのはそういうことでもあります。

会社が発行する株が証券取引所で売買できるようになることを「上場する」といいます。上場企業には、財務局長と証券取引所に対して有価証券報告書の事業年度毎の提出が義務付けられています。

有価証券報告書には財務諸表（決算書）の他に、事業の説明、取扱商品の紹介、会社の組織図、代表者の経歴、補足情報などが記載されています。これは各社のウェブサイトやEDINET（エディネット）という開示システム、TDnet（ティーディーネット）という閲覧サービスでいつでも見ることができます。

有価証券報告書のなかで、ある企業が「いま起こっていること」に関連する企業であるのかどうかを調べるのに使えるのが「損益計算書（PL、Profit and Loss statement）」です。PLは、表向きの顔はともかく、どのような事業で経営が成り立っているのか、つまり企業の本当の顔が示されている書類です。セグメント（区分）情報がついていて、事業毎の収益と利益まで明記されています。

PLは、売上、水道光熱費や従業員への給料などお金の出入りの結果としてどれだけ利益が出たかをまとめた書類です。

たとえば次ページの表（図表④）は、ある大手新聞社の直近のPLです。

PLには、「売上総利益」「営業利益」「経常利益」「当期純利益」が報告されています。「売上高＝1年間で得た収益」から「売上原価＝仕入れ」を引いた数字が「売上総利益」です。この「売上総利益」から「販売費および一般管理費（水道光熱費や従業員への給料、接待交際費など）」を引いた数字が「営業利益」です。

「営業利益」に「営業外収益（利息や配当による収益）」と「営業外費用（利息の支払いなど）」の差し引きを合計した数字が「経常利益」です。「経常利益」に「特別利益（たとえば不動産を売って得た利益など）」と「特別損失（たとえば不動産の価値が下がって、得られるはずの収益が失われた場合の計上される数字）」の差し引きを合計した数字が「税引前当期純利益」です。この数字から法人税などの税金を引いた数字が「当期純利益」となります。

つまり、1年間の取引の結果が記録されているのがPLで、これがその企業の実態ということになります。経済学に「ストック」と「フロー」という言葉がありますが、「ストック」は「特定の時点での話」、「フロー」は「ある期間での話」という意味です。

図表④　ある大手新聞社の損益計算書(PL)

(単位:百万円)

	前事業年度 (自　2021年4月1日 至　2022年3月31日)	当事業年度 (自　2022年4月1日 至　2023年3月31日)
売上高	188,198	181,950
売上原価	135,802	138,601
売上総利益	52,396	43,348
販売費及び一般管理費	44,456	45,271
営業利益又は営業損失(△)	7,940	△1,923
営業外収益		
受取利息	17	20
受取配当金	3,182	3,844
受取手数料	298	295
その他	159	513
営業外収益合計	3,658	4,673
営業外費用		
支払利息	23	25
寄付金	250	206
貸倒引当金繰入額	284	—
その他	48	35
営業外費用合計	607	267
経常利益	10,990	2,482
特別利益		
固定資産売却益	1,113	554
投資有価証券売却益	6	—
関係会社株式売却益	7	—
事業譲渡益	—	87
その他	112	22
特別利益合計	1,240	653
特別損失		
固定資産売却損	17	51
固定資産除却損	357	315
減損損失	1,892	2,484
早期割増退職金	5	4,164
新型コロナウイルス感染症による損失	41	—
その他	14	200
特別損失合計	2,328	7,216
税引前当期純利益又は税引前当期純損失(△)	9,902	△4,080
法人税、住民税及び事業税	85	△402
法人税等調整額	3,762	△3,298
法人税等合計	3,848	△3,701
当期純利益又は当期純損失(△)	6,054	△379

〈資料:EDINET〉

ＰＬは1年間のお金の出入りをまとめたものですから「フロー」です。バランスシートは、決算時という特定の時点での負債、純資産、資産の状態などを記してありますから「ストック」です。

いわゆるお金持ちにはストックのタイプとフローのタイプがあります。資産を受け継いだ資産家タイプのお金持ちは現時点での資産がたくさんある、つまり「ストックがたくさんある」という言い方がされます。事業で稼ぐ実業家タイプのお金持ちは毎年毎年の利益、つまり「フローがたくさんある」という言い方がされます。

これは企業についても同じ見方ができます。ＰＬの「営業利益」が前期よりも増えていれば、ここ1年の事業でより多く稼いだということです。上手な経営をしている企業だ、ということができます。利益が増えれば資産も増えるであろうことは想像できます。どちらが良い悪いという話ではありません。

一方、バランスシートを見ると不動産などの大きな資産を持っているもののＰＬの「営業利益」は減っているという企業もあります。この場合は、経営上、資産から少なくない額の収益を得ているはずだと推測できます。

この推測が当たっているかどうかは、ＰＬの「営業外収益」で確認することができます。

不動産であれば、賃料については「売上」に、売却益であれば「特別収益」に計上されます。営業利益は下がっているが、過去の資産が経営を下支え（したざさ）している企業であるということが、バランスシートとＰＬの数字からわかるわけです。

「持ち家」と「賃貸」はどちらが得か

「持ち家と賃貸はどちらが得か」という議論をよく聞きます。この場合、持ち家を持つというのは、住宅ローンを組んでマンションなり一戸建てを購入するということです。

経済学的に考えた場合、どちらかが明らかにお得なのであれば大多数はそちらを選びますから、「どちらが得か」に対する答えは、「大差がない」が正解です。「持ち家か、賃貸か」というのは、どちらが得かということではなく、最終的にはその人の生き方、リスクに対してどう考えて生きるのかによって決まる問題です。

持ち家を買うというのは、資産を持つということです。一般的にはローンを組む、つまりお金を借りるわけですから、同時に借金を持つということになります。バランスシートをつくってみると、左側に持ち家という資産があって、右側にローンという借金があるということで「資産と負債を持つ人」ということになります。

賃貸の場合は、ローンを組まない、つまりお金を借りませんから、「資産もなく、借金もない人」ということになります。

つまり、バランスシートにしたときにどちらがいいかという話であるだけなのです。「資産を持って負債も持つ」という方がいいか、「資産も持たない代わりに負債も持たない」という方がいいかということです。

メリットとデメリットという話は、多少はできるでしょう。資産を持った場合、後にその資産がものすごく値上がりをすれば得をすることになります。負債を売り払って借金を清算し、かつお金が残るというパターンです。ただし、資産の価格が下がれば、その逆となり損をすることになります。

資産はいつも増えるわけではありません。減ることもあります。こういうのを「リスク」といいますが、このリスクをあまり気にしない人というのが、持ち家を住宅ローンを組んで買う、つまり「借金をして資産を持つ」という人の典型的なパターンです。

このリスクを気にする人は住宅ローン付きの持ち家を持ちません。この場合は資産が目減りするリスクはなくなります。ただし、増えるメリットもありません。これがリスクに対してどのように対処するのかということで、すなわちその人の「生き方」です。

私は、どちらかといえばそういうリスクは持たない方が楽であるというタイプです。借金をしてまでも資産を持つことはありません。堅実に生きてしまうタイプということでしょう。もちろん、相続で土地を持ってしまえば、仕方なく「持ち家」ということになるでしょうが、先祖代々の土地がないのであれば、私は「賃貸」を選びます。

いずれにせよ、持ち家か賃貸かというのは個人の判断ですが、住宅ローンを組むことになった場合、固定金利が得なのか変動金利が得なのか、という話もよく聞きます。住宅ローンは金利の話ですから数量的に考える必要があります。

金利には短期金利と長期金利の2種類があります。短期金利は1年未満の資金の貸し借りで適用される金利のことです。長期金利は、一般的には償還期限が10年の10年物国債の金利を指します。住宅ローンの金利は、この長期金利が指標になって決まります。

長期金利というのは、短期金利がどうなるかを市場が予想するなかで決まります。短期金利は日銀がインフレ率の予想を根拠にコントロールしますが、1年後の短期金利はどうなっているか、その翌年の短期金利はどうなっているか、というふうに考えながら市場の多くの関係者が取引をする、その結果として決まっていくのです。

インフレ率の予想を根拠にコントロールするというのは、インフレ率が高くなりすぎる兆候があれば、短期金利を上方にコントロールしてお金を借りにくくする、つまり景気を抑えるということです。短期金利が上がれば、当然、長期金利も上がります。

日銀は２０２３年7月28日の金融政策会合で、10年国債の金利の変動幅の上限がプラス１％程度まで上回ることを容認する決定を発表しました。つまりそこには、日本はデフレから脱却しつつあるという目論見（もくろみ）があるわけで、それは長期金利の上昇という結果を呼ぶことになります。

固定金利と変動金利とどちらがお得かという話であれば、デフレムードにあって短期金利も低くコントロールされていた時期に定められた金利がそのまま続く固定金利の方が今後はお得になる確率が高いでしょう。変動金利の住宅ローンは、景気回復のベクトルのなかにある限り、今後は上がり続けることが予想されます。

景気が回復すれば返済に見合うだけ賃金も上昇する、という見方もありますが、それは人それぞれ、置かれた企業環境によるのであって、すべてが保証されるというものではありません。

「保険商品」というものの考え方

「年金は死亡保険と真逆の保険制度である」と言うと、ああそうか、とピンとくる人が多くいらっしゃるかもしれません。

保険会社が販売している死亡保険は、死んだときにもらえる保険です。生きている人たちが死亡保険の保険料を払い、亡くなった人にそれをあげるという保険です。契約書に記載されている残された家族などが、亡くなった人の代わりに保険金を受け取ります。

年金は、成人した日本国民全員が保険料を支払い、長生きした人だけがそこからお金を受け取れる保険です。ちなみに、日本国内に住む20歳以上60歳未満の人には、外国人を含み、国民年金への加入が法律で義務付けられています。

年金は、長生きをしないともらえません。もらうためには長生きすることが前提となります。そして、平均的な年齢以上に長生きする人というのは、実は同世代の半分しかいないことがわかっています。

長生きできない人は、年金保険料を払うばかりになってしまってもらわずじまいとなるわけです。そういう側面から見れば、確かに年金は酷（こく）な制度です。80歳まで生きた場合と

100歳まで生きた場合を比べると、もらえる金額には大きな差も出ます。早く死んでしまえば年金はちょっとしかもらえません。1年でも2年でも長く生きれば、それだけ多くもらえることになります。

健康であればあるほど得で、早く死んでしまうのは絶対的に損であるのが年金という保険です。もし70歳から受け取り始めて100歳まで生きたとすると、受け取れる年金の額はだいたいそれまでに受け取った給料の50%くらいになります。数式にすると、「30年×50%＝1500%」となります。国民年金の保険料率は18・3%ですから、20歳から70歳まで50年間働いたとすれば、支払った年金額は「50年×18・3%＝915%」ですから、受け取る年金の額の方がずっと多いことになります。

これが年金の原理で、きわめて単純に設計されていますから、計算の間違いも少なく制度として破綻しにくいという性質を持っています。人が働ける年数と平均寿命の2つがわかっていれば、人がいくつぐらいまで働き、どのくらいの給料になるかがわかりますから、平均的にどのくらい年金を支給しなければならないかが簡単に計算できるわけです。年金破綻などとよく言われますが、シンプルだからこそ破綻させるのは難しいのです。

2022年に年金制度が改正されて、老齢年金の繰下げの年齢の上限が70歳から75歳に引き上げられました。なぜ年金を受給できる年齢が引き上げられているのかというと、嫌な言い方になりますが、同世代の半分くらいが死ななければ、生きている人の年金が払えなくなるからです。

皆が長生きすれば、その分だけ支払う総額は増えます。もちろん平均寿命が長くなるのはいいことですが、年金という制度に限っていえば、半分くらいは死んでもらわないと支払えません。そうなると支払いを先延ばしするしか手がないということになるのです。

受給については、65歳を待たず、前倒しして60歳から受給することもできます。ただし、1回分の受給額は減額されます。若ければ、それだけ同世代中で人が死ぬ確率は低くなりますから、年金を減額しないと制度としての辻褄が合わなくなるのです。逆に、受給を先延ばしにすると、年を取れば取っただけ、同世代中で、亡くなる人も増えてきますから受給額も上がります。減額か増額かは完全な数理計算でわかることであり、計算に基づいて額が決められています。

年金は法律で義務付けられていますから、現状では加入するほかありませんが、死亡保険をはじめとする保険商品は金融機関の販売商品であって、加入は個人の判断によります。20世紀のうちは、銀行が一般に勧めるのは預金だけでした。それが2000年以降の保険商品種類に対する規制の緩和によって、銀行が系列の証券会社や保険会社の商品を売るようになりました。銀行といえば社会的な信用度も高かったので、銀行員の勧めで投資信託を始めたり保険に入ったりする人も多かったわけです。

そして、これは今でも変わることはありませんが、銀行をはじめとする金融会社が勧めてくる保険のほとんどは「変額保険」です。変額保険とは、生命保険のうち、支払われた保険料を金融機関が投資信託などで運用し、運用結果に応じて死亡保険金額や解約返戻金、満期保険金の額が変わってくる保険です。

厳密にいえば、これは保険とはいえません。保険とは原則、「補償」と「投資信託」の2つを組み合わせてつくられる商品です。補償性が強くあってこその保険であって、「老後の備えになりますよ」というような貯蓄性をうたう背後で投資リスクを背負わせるようなものは保険ではありません。

変額保険には最低限の補償機能がありますが、これは投資信託とほぼ変わりません。それも、手数料の高いあくどい投資信託とたいして変わりがありません。

保険と言いながらお金を集めておいて、投資のリスクそのものは保険契約者が負うということになります。投資信託は当然上がり下がりもあり、損することも珍しくない世界です。

私は保険には入っていません。「備え」ということであれば、自分の銀行口座に地道に積み立てていった方がリスクを負わずにすむからです。

補償性があってこその保険であって、保険料の安い掛け捨ての死亡保険や損害保険に入るということは〝アリ〟だろうとは思います。

第2部

平和のために防衛力を強化する

第3章

戦争と平和は「確率」で考える

戦争には「起こる確率」がある

2022年2月24日のロシアによるウクライナ侵攻によって、第2次世界大戦後の国際秩序の枠組みが一挙に破壊されました。ロシアの行為は暴挙としか言いようがなく、その暴挙たる本質は、核兵器不拡散条約（NPT、Treaty on the Non-Proliferation of Nuclear Weapons）によって核兵器の所有が認められている、いわゆる核兵器国（核保有国）と呼ばれる5カ国（アメリカ、ロシア、イギリス、フランス、中国）のうちの1国が戦争を仕掛けたということにあります。

国際連合・安全保障理事会（安保理）の常任理事国5カ国は核兵器国5カ国とイコールです。安保理は、国際連合憲章に基づき、平和に対する脅威等の存在を決定して軍事制裁を含む措置の実施を勧告ないし決定する権限を有していますが、案件の議決には常任理事国5カ国すべての承認と賛成が必要です。

したがって当然、ロシア・ウクライナ問題において国連は機能しません。侵攻されたウクライナに多国籍軍が派遣されてロシアと戦う、などということはありえません。

核兵器国5カ国以外の核兵器保有を禁止している核兵器不拡散条約も、例外措置の解釈をめぐってすでに条約の存続さえ危ぶまれるような状態でしたが、今回、ロシアが核兵器の実使用をほのめかしたことで事実上崩壊したといえるでしょう。

ウクライナ戦争はすでに「数年間にわたる」という言葉が使えるくらいの長期なものとなっていますが、いまだにロシアの暴挙をどのように抑え、落とし所をどこに置くのか世界の誰も答えが見いだせていない状況にあります。

2023年8月、ロシアが年間軍事予算を年度当初目論見の2倍にあたる約14兆4000億円に増額した、という報道がありました。当初予算は約7兆4000億円で、これを同年6月までに使い切ってしまったために倍額に見直されたとされています。

換算すると、ロシアは一日約200億円をウクライナ戦争に使っていることになります。アメリカがイラク戦争に投入していた軍事予算は一日あたり約180億円だったという試算がありますから、ロシアは当初、イラク戦争におけるアメリカ規模程度の軍事行動を予定していたはずですが、いまやそれ以上の費用が必要になってきているということになるでしょう。

戦争には「起こる確率」というものがあります。それはもちろん、見方を変えれば、戦争が「起こりにくい確率」ということでもあります。アメリカの国際政治学者のブルース・

ラセットとジョン・R・オニールが、1886～1992年の1世紀以上にわたる期間の近代および現代の戦争データを用いて実証分析を行い、2001年に、『Triangulating Peace: Democracy, Interdependence, and International Organizations』というタイトルの研究集大成を出版しました。

ラセットとオニールは分析結果を計算して、戦争が起こる確率、つまり戦争のリスクについて次のように整理しました。

「有効な同盟関係を結ぶこと」で戦争のリスクは40％減る。
「相対的な軍事力が一定割合（標準偏差分）増すこと」で戦争のリスクは36％減る。
「民主主義の程度が一定割合増すこと」で戦争のリスクは33％減る。
「経済的依存関係が一定割合増すこと」で戦争のリスクは43％減る。
「国際的組織への加入が一定割合増すこと」で戦争のリスクは24％減る。

この5つは現在の国際社会において、「平和の5要件」とも呼ばれています。国家が有事とならないために必要な5つの条件です。なぜこの5つが戦争のリスクを減らすのか簡単に説明しておきましょう。

【①有効な同盟関係を結ぶこと】

同盟関係の状況を見て相手国が戦争を思いとどまる可能性が高くなります。また、同盟国同士で戦争する可能性はまずなくなるので戦争のリスクは減ります。

【②相対的な軍事力が一定割合増すこと】

互いの国の軍事バランスが崩れると均衡状態が崩れて戦争のリスクが高まります。「いま戦えば勝てるのではないか」と考えるからです。軍事力が均衡していればいるほど戦争の損失は大きくなる可能性が高まるので、戦争への抑止力は高まります。

なお、軍事力に大きな差がある場合には、劣位の国が優位の国に対して属国化するので、かえって戦争のリスクは減ります。

【③民主主義の程度が一定割合増すこと】

非民主主義国家、いわゆる独裁国家は民主的手続きを取らずに政治決定できるので、一方の国が非民主主義国であれば戦争のリスクは高まります。双方とも非民主主義国であればさらに戦争のリスクは高まります。

【④経済的依存関係が一定割合増すこと】

貿易などで経済関係が深い相手と戦争を始めると、開戦と同時に自国も大きな経済的ダメージを負うことになります。

【⑤国際的組織への加入が一定割合増すこと】

たとえば国連憲章では、自衛権の行使や軍事制裁などの例外を除いて武力の行使による威嚇(いかく)を禁止しています。国際的組織は基本的に戦争の違法化を強く意識するので戦争のリスクは減ります。

ウクライナは、よく知られているようにNATO(北大西洋条約機構)には加盟していませんでした。ソ連崩壊時に独立へと向かうなかで非核化し、独立後は軍縮を行いました。隣国のロシアは連邦共和制を採っているとはいえ事実上プーチン大統領の独裁国家です。

ウクライナの貿易相手はトップが中国で輸出入ともに全体の15％程度、ドイツ、ポーランドなどの後にロシアがあり、輸出6％、輸入8％程度でした。

そして、安保理常任理事国のロシアが戦争を仕掛けてくるのですから国連は機能しません。つまり、ウクライナは、対ロシアということでは「平和の5要件」のことごとくが存在しないに等しい状態にあったわけです。

では、日本の状況はどうなっているでしょうか。平和を維持するためには、「平和の5要件」を過不足なく充実させて戦争のリスクを減らしておく必要があります。

日本は、他国にはない特徴があります。それは近隣に中国と北朝鮮という非民主主義国家、そしてロシアがあるということです。つまり、戦争のリスクを33％減らすはずの「③民主主義の程度が一定割合増すこと」という要件はあらかじめ失われているのです。

そのため、日本は、③以外の「①有効な同盟関係を結ぶこと」と「②相対的な軍事力が一定割合増すこと」、「④経済的依存関係が一定割合増すこと」と「⑤国際的組織への加入が一定割合増すこと」にかける比重を大きくする必要があるというのが論理的、数量的に考えたときの日本の安全保障ということです。「⑤国際的組織への加入が一定割合増すこと」についていては、ロシアのウクライナ侵攻によって国連の弱体化という問題も登場してきています。

各国を個別に見ていくと、中国については、中国の急激な軍備拡大で「相対的な軍事力」の要件は崩れています。ちなみに、アメリカの軍事評価機関「Global Firepower（グローバル・ファイヤーパワー）」は世界の軍事力ランキングを毎年発表していますが、2023年7月に発表されたランキングによると、中国はアメリカ、ロシアに次いで第3位、日本は第8位です。

「経済的依存関係」については、2017年時点の数字で、中国の対日輸出は輸出全体の6・1％でアメリカ、香港に次ぐ第3位、対日輸入は輸入全体の9・0％で韓国に次ぐ第2位です。双方輸入ベースで見たときの貿易総額は近年増え続けて2021年に過去最高を記録していますから、経済的依存関係においては戦争のリスクは減少しているといえるでしょう。ただし、この貿易総額は2022年から減少に転じています。

なお、重要なことですが、従来は経済関係があれば戦争確率を低下できたのですが、最近では「経済安全保障」という考え方が有力になっています。下手に経済依存度が高くなると、経済威圧とかで戦争前手段として、脅されるのです。ですから、現時点で私はこの要素をあまり重視していません。

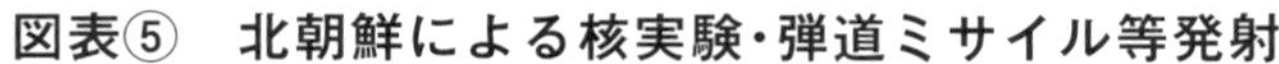
図表⑤　北朝鮮による核実験・弾道ミサイル等発射

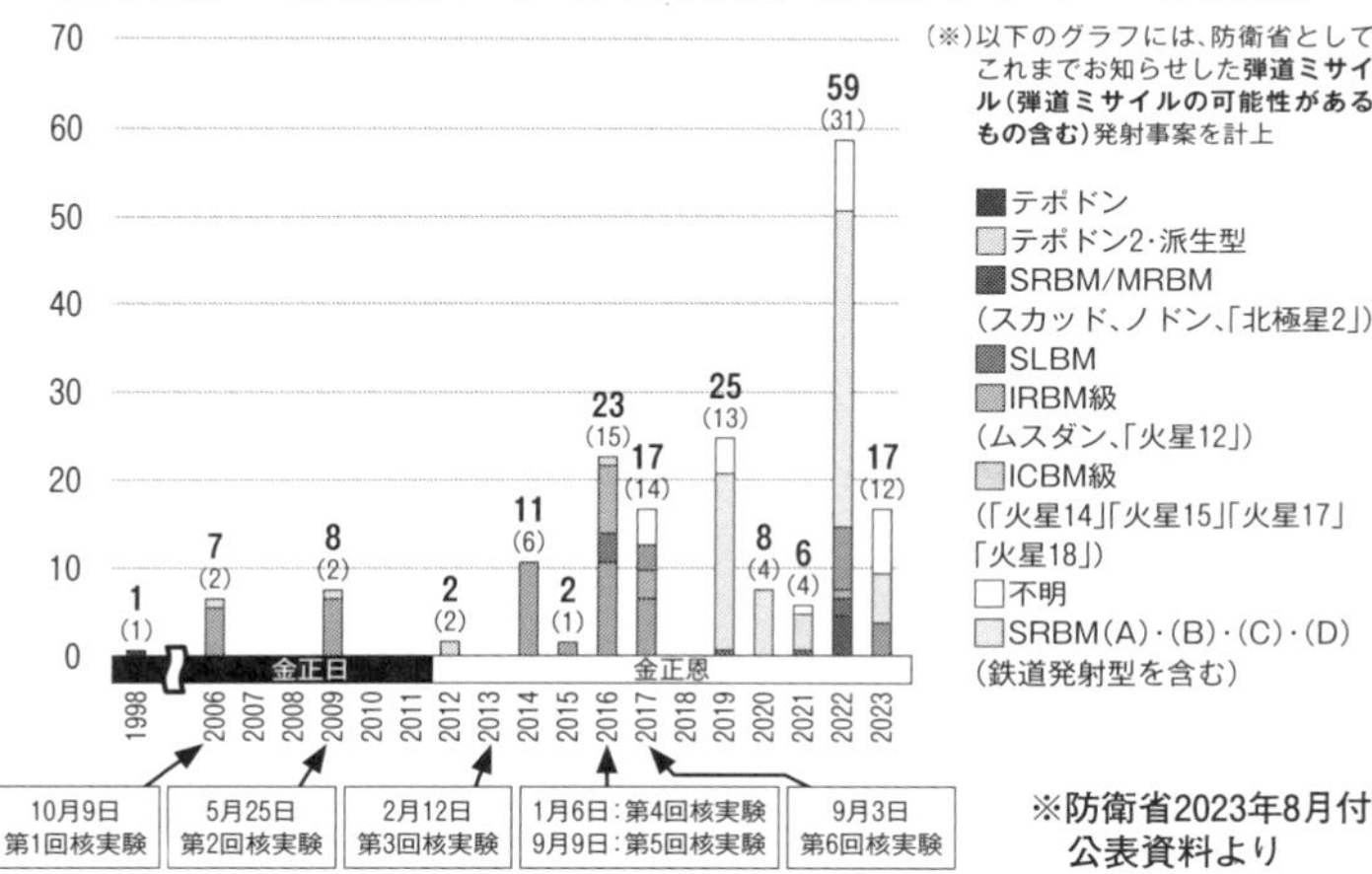

同様に、国際的組織の加盟も、今の国連の機能不全をみると、重視すべきではありません。

北朝鮮についてはどうでしょうか。「Global Firepower」の軍事ランキングによれば北朝鮮は世界第34位ですが、2023年の夏頃から連日のように行うようになった軍事演習に近いミサイル発射実験を見る限り、「相対的な軍事力」は崩れかねない状況にあるといえます（図表⑤）。「経済的依存関係」については、北朝鮮に対する経済制裁措置は現在も行われていますから疎遠であり、依存関係にはありません。

こうして見てくると、2016年に集団的自衛権の行使容認を含む安保法制がなぜ施行されたのか、ということがわかってきます。アメリカとの同盟関係を強化することで、「有効な同盟関係を結ぶこと」を充実させ、戦争のリスクを減らそうとしているということです。

また、２０２２年12月に閣議決定された「戦略３文書」には、防衛費を、２０２３年度からの５年間で総額43兆円とし、２０２７年度にはＧＤＰ比２％の水準を予定する、と書かれていましたが、関連を含めた政策に対する評価はさまざまあるにせよ、基本的にはこれは「相対的な軍事力が一定割合増すこと」で戦争のリスクを減らすことを目指すものです。

正しく使いたい、「リスク」という言葉

リスク（risk）という言葉は、辞書的には、危険そのものを指す意味もあります。しかし、経済学や数量政治学で「リスクがある」と言った場合には確率の数字があるだけであって、そこに「危険や失敗の可能性がある」という意味はありません。

リスクという言葉は、可能性があるのかないのかということではなく、「確率計算がし

つかりとしてある可能性」を指します。

リスクという言葉には必ず確率の数値が伴います。そしてそこには、「危険か安全か」「良いか悪いか」といった価値観は存在しません。

これがアメリカの経済学者フランク・ナイトが著書『Risk, Uncertainty and Profit（リスク、不確実性、利潤）』（１９２１年）のなかで記したリスクの定義で、現在の世界の常識となっています。確率計算のできないものは「不確実性（uncertainly」として区別されています。

「リスクがある」と言った場合、そこには確率計算された数字が存在していることが必要です。実際の場面でその数字を問い質されることはあまりありませんが、リスクという言葉をちゃんと理解している人、国際的な常識のある人であれば、質問に対する答えのなかには必ず数字が出てきます。

安保法制の議論が盛んに行われた頃、政府・与党の「集団的自衛権は他国からの侵略のリスクを減らす」という主張に対して一部野党側が「集団的自衛権の行使で自衛隊のリスクが高まる」という批判を行いました。

しかし、おそらく与野党双方ともリスクという言葉の意味、つまり「確率計算された数字が必ず伴うのがリスクである」ということを理解していなかったようで、建設的な議論は行われませんでした。

リスクという言葉を使って正しく議論すると、たとえば次のようになります。

まず、仮想の数値を設定しておきましょう（もちろん実際の数値は異なります）。

個別的自衛権のみの場合に不測の事態に陥るケースが２ケースで問題が起こらない通常の場合が98ケース想定される、とします。そして、集団的自衛権を加えた場合、不測の事態に陥るケースが４ケースに増えて問題が起こらない通常の場合が96ケースに減ると想定される、とします。

政府・与党の「集団的自衛権は他国からの侵略のリスクを減らす」は、数字で話せば「個別的自衛権のみの場合において不測の事態に陥らないリスクは98／１００＝98％だが、集団的自衛権を加えた場合には96／１００＝96％となる。集団的自衛権を加えることで不測の事態に陥らないリスクは98％から96％に減る」ということになります。

一方、一部野党側の「集団的自衛権の行使で自衛隊のリスクが高まる」は、数字で話せば「集団的自衛権を加えた場合に不測の事態に陥るリスクは、個別的自衛権の場合の２／１００＝２％から４／１００＝４％に増えてしまう」ということになるでしょう。

ここで初めて議論ができるようになります。

そしてまた、このような議論となったときに初めて問題点が明らかになってきます。政府・与党は、「集団的自衛権によって不測の事態が起こらなくなる通常の場合を含めて考えて集団的自衛権が加わった方がリスクは減る」と主張しているのに対して、一部野党側は、「集団的自衛権を加えることによって不測の事態が起こらなくなる場合を含めずに考えて自衛隊のリスクが増えてしまう」と主張しているということが見えてきます。

つまり、一部野党側は、不測の事態が起こることを前提とすることで、不測の事態の下で活躍する自衛隊員のリスクは高まるという結論をいわば無理やり引き出している、ということが数字の出し方からわかるわけです。

不測の事態が起こらなくなる場合を含めずに行う議論は、この場合、フェアではありません。危険だけを煽って感情論で説き伏せようという方法を採っているということになるからです。

多くの人は「リスクはあるのか、ないのか」といった考え方をします。たとえば何かしらの健康被害問題が起きたとすると、マスコミは専門家に必ず、「絶対に安心なのか。リスクはないのか」という質問をします。

誠実な専門家であればあるほど、「絶対ではない」と答えます。可能性がないことなど、この世にはありません。

専門家にとってリスクは「あるかないか」ではなく確率であって、必ず0と1の間の数字になります。専門家にとって、「可能性はゼロ（0）ではなく絶対に安心ということはない」というのは当然の言い方です。

ところが「可能性はゼロではない」と聞くと、その確率の数字をきちんと理解できる人もいるでしょうが、多くの人は「やはり危険なのだ」と短絡的に思い込んでしまいます。マスコミもまた〝安心して〟という言い方もおかしいのですが、大手を振って「危険な事態が起こった」と伝えます。ニュースのほとんどはそうしてできていると言ってもいいでしょう。

なぜ非民主主義国は危険なのか

民主主義国家は一般的に、「市民が直接、もしくは自由選挙で選んだ代表を通じて権限を行使し、市民としての義務を遂行する統治形態で、多数決原理の諸原則と個人および少数派の権利を組み合わせたものを基盤とする」国家体制だとされています。

民主主義国家では、国の行動は選挙で選ばれた政治家の合議で決まります。戦争などの極端な行動が選択されにくいのは、民主主義体制が、選挙結果を左右することになる世論あるいは三権分立といったように、権力の相互抑制機能を持っているからです。

一方、個人や少数者または一党派が絶対的な政治権力を独占して議会政治あるいは合議制を否定するような支配が行われる政治形態を採っている国のことを独裁国家といいます。独裁国家は、選挙をはじめとする権力の相互抑制機能がありませんから、戦争という極端な行動も採用されやすい状況にあります。独裁者あるいは独裁政党が戦争の開始を決めてしまえば、それを止める仕組みはありません。

アジア地域には、公的に共産主義あるいは社会主義を採用している国が4カ国あります。中国、北朝鮮、ベトナム、ラオスです。

経済体制として共産主義を採っている国は今はほとんどありませんが、国家名称に民主主義という意味の言葉が入っていることがあるにせよ、それら4カ国の国家体制は民主主義ではなく、共産党という一党派の独裁体制です。

第2次世界大戦後にアジア地域で起こった戦争には、朝鮮戦争、中印国境戦争、ベトナ

図表⑥　世界の民主度実態図

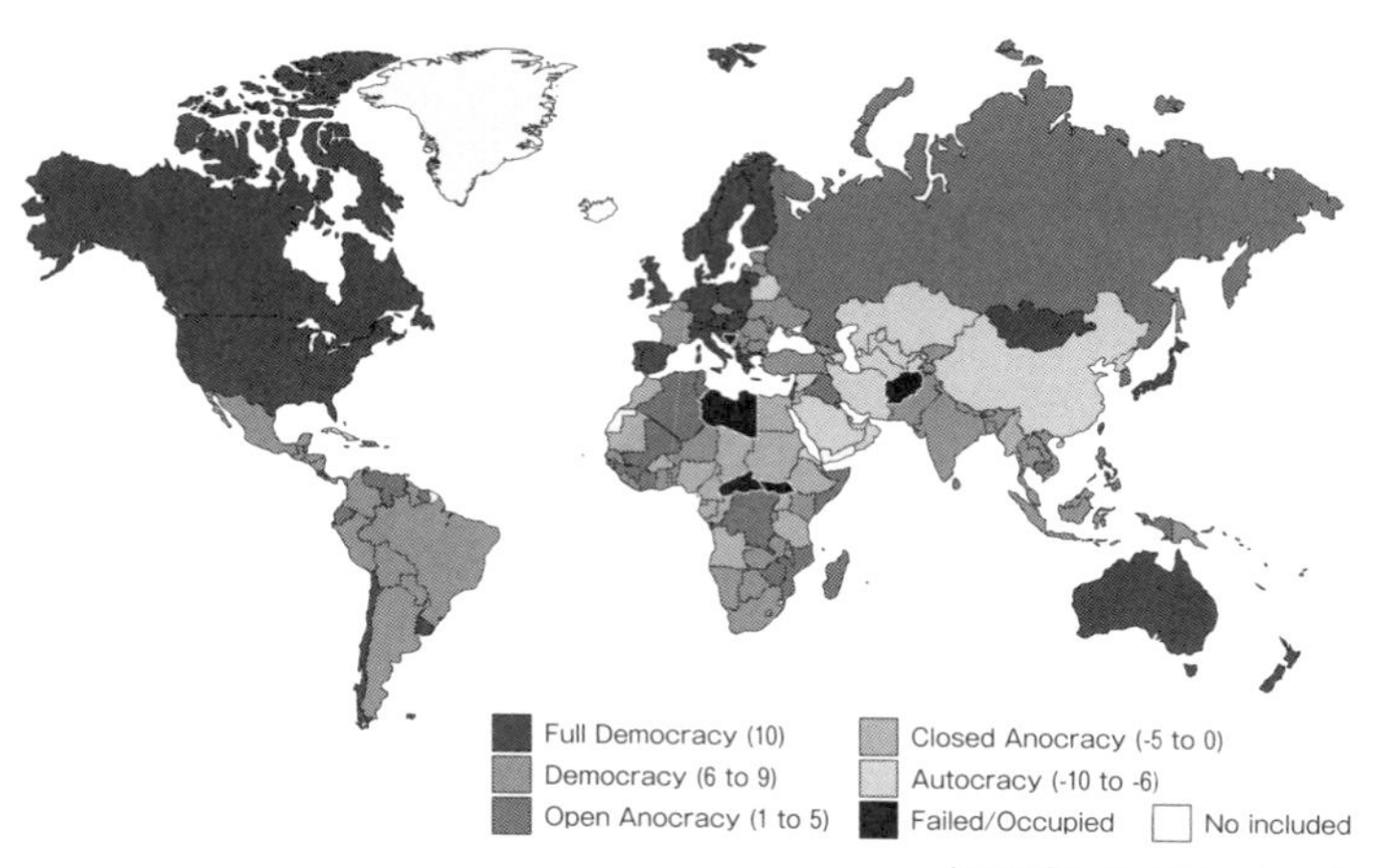

〈資料:「Polity Ⅳ Project」〉

ム戦争、中ソ国境紛争、中越戦争などがありますが、その多くにこの4カ国が関係しています。なかでも中国と北朝鮮は日本の目と鼻の先に存在する隣国です。

なお、ロシアによるウクライナ侵攻の事実を見てもわかる通り、民主主義を採用しているからといって安心であるというわけではありません。

政治暴力・紛争の研究で知られるアメリカの政治学者テッド・ロバート・ガーが1974年に発表した世界の民主度実態のデータおよびその分析方法に基づいて、「Polity Ⅳ Project」という政治体制研究サイト(https://www.systemicpeace.org/polity/polity4.htm)が、1946年から2013

年までの実態データをもとに作成した世界の民主度実態図を掲載しています（図表⑥）。

これによると、ヨーロッパと北南アメリカの国々は地域全体で民主化が進んでいることがわかります。一方、アジア地域、中東地域、アフリカ地域では全体として民主化が進んでいるとは言えません。アジア地域で「Full Democracy」つまり完全に民主主義体制を採っている国として分類されているのは日本とモンゴルだけです。

ロシアはこの図からわかるように2013年時点では「Open Anocracy」に分類されていました。「Anocracy」は、完全な民主主義でも独裁主義でもない中間的な政治体制を指す言葉です。「Open」が頭についていますから、「開放的な権威主義体制」といったところでしょう。経済的に開放政策をとらざるをえないけれども、かつての西側の最大強国・ソ連の後継を最高権威としているということです。

また、イギリスの週刊新聞『エコノミスト』の調査部門「エコノミスト・インテリジェンス・ユニット（EIU、Economist Intelligence Unit）」は毎年、各国の民主主義指数を発表していますが、2023年2月に発表された2022年度版でロシアは、調査対象167国中の146位でした。

ロシアの民主主義指数は2・28で、「独裁政治体制」（指数4・00〜0）に分類されます。ウクライナ侵攻はまさにこれが実体化したものといえるでしょう。

失われつつある、国際連合の存在意義

ウクライナに軍事侵攻したロシアは国連安全保障理事会の常任理事国です。侵攻の翌日の2022年2月25日に国連安保理は会合を開いてロシアに対する制裁および非難決議を採択しようとしましたが実現しませんでした。

常任理事国のロシアが拒否権を行使したからです。しかもロシアは安保理の当時の議長国でした。ナンセンスというにもほどがあるといえるでしょう。

国連憲章の第23条は安保理常任理事国の規定について定めた条文で、次のように書かれています。

安全保障理事会は、15の国際連合加盟国で構成する。中華民国、フランス、ソヴィエト社会主義共和国連邦、グレート・ブリテン及び北部アイルランド連合王国及びアメリカ合衆国は、安全保障理事会の常任理事国となる。

条文にはいまだに、中華民国、ソヴィエト社会主義共和国連邦と書かれています。したがって、現在の中華人民共和国が常任理事国であるのは、第2次世界大戦終了当時の中国国民党政権たる中華民国から引き継いだから、また、ロシアが常任理事国であるのはソヴィエト社会主義共和国連邦から引き継いだから、ということがわかります。

国連安保理が機能しなくなったことを受けて、いくつかの改革案が出されているようです。常任理事国の拒否権を制限する案も出ていますが、これには国連憲章の変更が必要であり、国連憲章の変更には総会の3分の2および常任理事国5カ国すべての賛成が必要ですから変更は難しいでしょう。

ロシアを常任理事国から外す案も侵攻開始の当初から出ていました。1991年に崩壊したソ連から常任理事国を引き継ぐ際にロシアは正式な手続きを踏まなかった可能性があることを問題として地位を剥奪(はくだつ)しようというものです。2022年の年末にウクライナの外務省が改めて同様の内容の声明を発表し、国連からのロシア追放を国連加盟各国に呼びかけましたが、その実効性はいまだ不透明なままです。

国連安保理常任理事国5カ国の、「エコノミスト・インテリジェンス・ユニット」調査による民主主義指数を見てみましょう。
数字は２０２２年度のもので、全１６７国調べです。

中国　１・９４（独裁政治体制）１５６位
フランス　８・０７（完全民主主義）22位
ロシア　２・２８（独裁政治体制）１４６位
イギリス　８・２８（完全民主主義）18位
アメリカ　７・８５（欠陥民主主義）30位
（ちなみに、日本は指数８・３３で16位）

国連安保理常任理事国の５カ国体制は、戦争のリスクの高い独裁政治体制の国を２つも含んでいる問題のある体制でした。この体制をもって調整されてきた戦後国際秩序が、ロシアのウクライナ侵攻によって現実として危機を迎えたわけですから、国連内外での変革が急務であることは間違いありません。
私は、戦争のリスクを減らすという観点からすれば、いわゆるＧ７（先進７カ国：カナダ、フランス、ドイツ、イタリア、日本、イギリス、アメリカ）を核として、他の民主主義国家を加えた民主主義グループが国際秩序の調整にあたることが効果的だろうと思います。平和の５要件のうちの「『民主主義の程度が一定割合増すこと』で戦争のリスクは33％減る」に基づきます。

「同盟」によって左右される戦争のリスク

ロシアのウクライナ侵攻を受けて、ヨーロッパでは、ＥＵ（欧州連合）への加盟申請を行う国、ＮＡＴＯ（北大西洋条約機構）への加盟申請を行う国が増え、またＮＡＴＯ加盟国国内では加盟を支持する国民の数が増えていると報道されています。

軍事的な結びつきの強さと経済的な結びつきは比例します。国家間で貿易を盛んに行っている国とはリスクを共有していることになりますから、経済同盟と軍事同盟は一体化するのが普通です。平和の５要件のなかの「『経済的依存関係が一定割合増すこと』で戦争のリスクは43％減る」が根拠となります。

ＥＵは１９５８年に設立されたＥＥＣ（欧州経済共同体）が母体になっている経済同盟

です。１９９３年にＥＥＣは発展解消してＥＵとなり、２０２３年時点で27カ国が加盟しています。

なかにはスウェーデンをはじめ共通通貨であるユーロを導入していない国もありますが、ユーロ非導入の場合でも加盟国間は基本的に関税無課税です。経済的な結びつきが強いというのは、具体的にそういう意味です。

１９４９年に設立されたＮＡＴＯは、アメリカ、カナダの北米国とヨーロッパ諸国の間で結ばれている軍事同盟です。ヨーロッパのＮＡＴＯ加盟国はＥＵ加盟国とほぼ合致していますが、国家事情でＮＡＴＯ加盟ＥＵ非加盟、あるいはＥＵ加盟ＮＡＴＯ非加盟という国ももちろんあります。

そのなかで、ＥＵ加盟ＮＡＴＯ非加盟だった国の動向がロシアのウクライナ侵攻以降、注目されました。中立と軍事的非同盟を国策としてきた北欧の2カ国、ロシアと西側諸国との間の緩衝国と言われてきたフィンランドとスウェーデンが侵攻の2カ月ほど後にＮＡＴＯの加盟申請を行いました。

２０２３年の４月４日にまずフィンランドが正式加盟しました。スウェーデンについては加盟国の承認保留がなかなか解けませんでしたが、２０２３年の９月26日に、保留していたトルコが、「アメリカ政府がトルコへのF16型戦闘機売却に向けた環境を整備するという約束を果たせばスウェーデンの加盟を支持する」という具体的な声明を出しました。政治的駆け引きを露わにするにもほどがあるといったところですが、軍備の拡充はもはや世界の常識的タームとなっているということです。

ウクライナはかねてからNATO加盟の意向があり、2022年の10月30日に正式に加盟申請しましたが基本的に戦時中の加盟は不可能だろうとされています。この、ウクライナのかねてからのNATO加盟の意向とNATO側の受け入れ容認の態度がロシアを刺激して侵攻を呼んだわけですが、ロシアの軍事侵攻は国際法違反であり、いかなる事情があっても決して許されるものではありません。

日本の「集団的自衛権の行使容認を含む安保法制」は、日米安全保障条約に基づく日米同盟という軍事同盟を強化し、集団安全保障を充実させるためにつくられたものです。右記のような状況が世界で起こっているにもかかわらず、いまだに「集団的自衛権を容認すれば戦争に巻き込まれる。だから集団的自衛権はけしからん。同盟はけしからん」と言う、いわゆるお花畑に住む人たちがいます。

お花畑の人たちは、都合の良いリスクだけを持ち出してきて、けしからんと言うだけです。論理的に話をする、つまり議論するためには、さまざまに想定できるリスクが網羅されていることが必要です。

「戦争に巻き込まれるから同盟は危険だ」というのはまったく論理的ではありません。同盟を組むことによって戦争に巻き込まれずに済む場合が必ずあるからです。つまり、同盟によって戦争に巻き込まれるリスクは、同盟を組むことによって戦争に巻き込まれない確率を計算した上で算出される必要があります。

同盟を組むことで、戦争に巻き込まれる確率、つまり戦争のリスクは間違いなく増えます。同時に、同盟を組むことによって戦争に巻き込まれない確率、つまり戦争のリスクは間違いなく減ります。

問題はどちらの確率が高くなるかということです。戦争に巻き込まれない確率が戦争に巻き込まれない確率よりも大きければそれでいいわけです。同盟を組む場合と組まない場合とでは、どちらがどちらに該当するかというだけの話です。

しかし、自分が今まで親しんできた「愛は世界を救う」とか、「人命は尊い」といったことを訴えることこそが世界平和を実現するという虚無に近い考え方にしがみついていたい人たちは、戦争に巻き込まれるところだけを引っ張り出してきて話をします。巻き込まれない確率を加えて議論しなければ、現実的な平和の議論にはなりません。

巻き込まれない確率を保障するのは同盟を組むことによる抑止力です。抑止力には実は2つあります。

日米同盟で言えば、「アメリカが後ろ盾になっているから迂闊に攻め込むことはできないと相手国に思わせる」という一般的によく知られている抑止力がまず1つです。日本に手を出せばアメリカからどれだけのしっぺ返しがくるかわからないから攻め込むのはやめておこうということです。

もう1つ、たいへん重要な抑止力があります。「アメリカと同盟を結ぶことによって、アメリカから軍事攻撃を受けるリスクが減る」ということです。それも格段に減ります。世界一の軍事大国であるアメリカと同盟を結んでいる意義は、実はこちらの抑止力にこそあるといっていいでしょう。

北朝鮮が非常にアメリカを怖がるのは、アメリカと同盟を結んでいないからです。一方、日本がアメリカを恐れずにすんでいるのは、同盟関係にある日本に対してアメリカが攻めてくることはさすがにないと考えられるからです。

自主独立防衛はハードルが高すぎる

安全保障ないし世界平和については、リアリスティックに考える必要があります。リアリスティックに考えるということは、たとえば、学校でいじめられないためには最も強いガキ大将と組むのが最も良い方法だと考えるということです。

ガキ大将と組むとその敵対グループとの抗争に巻き込まれるかもしれない、だから中立こそが平和の道だ、という意見は一見正しく聞こえますが、最も強いガキ大将と組めば、そのガキ大将からやられることはまずありません。最も強いガキ大将ですから、敵対グループもなかなか攻め込んで来ることはできません。これは、ラセットとオニールの『Triangulating Peace: Democracy, Interdependence, and International Organizations』でもデータとして示されていることです。

いくら嫌いな奴であっても最も強いガキ大将と仲良くする、ということが一番の安全保障となります。したがって、現時点では、アメリカと同盟関係を組むということは、現実問題として最も良く、また安上がりでもあるということになります。

極論すると、もしも国際秩序が変わって世界の構造が変わり、中国が最も強い国となった場合には中国と同盟を組む、ということになります。戦争のリスクを減らすということのリアリズムとはそういうことです。

つまり、日本が平和国家でありたいのなら、世界最強の国と同盟を結ぶのが最も良い、ということです。そうしたとき、いま同盟を結ぶべき国はアメリカであり、当分はアメリカのままだろうということです。

自らすべての軍事力を用意して国家防衛し、他国からの支配や干渉を受けることなく国家運営は行われるべきだとする、いわゆる「自主独立論」は、平和の5要件から最も遠く離れた、戦争のリスクという観点からすれば最も危険な考え方だということができるでしょう。

最も強くなれるのであれば、自主独立論は戦争のリスクを減らす可能性があります。しかし、そうなれなかった（世界一になれなかった）ときには、どれだけの悲惨が待ち受けているか想像もつきません。

安全保障は好き嫌いではありません。論理的に考えたときに、いくら力が落ちてきているとはいえ喧嘩をすれば今はまだアメリカが最も強そうだからアメリカと組む、もしも中国が世界一になった場合には中国と組まなければ損である、というのが安全保障です。

自主戦力によって自主防衛するというのはたいへんな話です。今からジムに通って身体を鍛え、凄まじい訓練を今後ずっと続けても、世界一になれない可能性があります。自主独立論とは、軍事力世界一を目指すということです。

ならば、2022年12月に閣議決定された「戦略3文書」に書かれている、2023年度からの5年間で総額43兆円、2027年度にはGDP比2%の水準を予定する防衛費というのは意味がないのではないか、と思われる人もいるでしょう。

戦争には、全面的なものと局地的なものがあります。相手国の作戦にもよりますが、いわゆる「ちょっかいを出して同盟国の出方を見る」といった軍事行動を抑止するためには、自国の防衛力を一定のレベルに高めておくことが必要です。

いずれにせよ、戦争のリスクを減らすために一般人ができることは、平和の5要件のうち、特に「有効な同盟関係を結ぶこと」「相対的な軍事力が一定割合増すこと」「民主主義の程度が一定割合増すこと（自他国ともに）」に対して敏感で、何でもやるという意識を持った政治家を選挙で選ぶということです。

第4章

"ファクト"と"ロジック"で、国際社会を生き抜け

困った隣国・韓国との付き合い方

２０２３年6月27日、岸田政権は韓国を、かつてはホワイト国と呼ばれていた「グループＡ」つまり輸出優遇国へ同年7月21日から復帰させることを発表しました。

日本には安全保障貿易管理の枠組みとして、大量破壊兵器および通常兵器の開発に使われる可能性のある貨物の輸出、技術の提供などを行う場合には経済産業大臣への届け出と許可を義務付ける「キャッチオール規制」というルールがありますが、その手続きを簡略化つまり優遇する国々のことを「グループＡ」と呼びます。アメリカ、イギリス、ドイツ、フランスなどの先進国をはじめ、韓国が復帰したことで２０２３年現在、合計27カ国がグループＡに属します。

韓国は２０１９年の7月1日に一度、グループＡ（当時はホワイト国と呼んでいた）から外されています。韓国の輸出行為において第三国に戦略物資などが渡っている可能性が強まったからです。グループＡからの除外は制度上の初ケースでした。当時の韓国大統領は革新系・民主党の文在寅（ムンジェイン）でしたが、日本のこの措置は「盗人猛々しい（ぬすっとたけだけしい）無謀な行為だ」などと罵り（ののし）気味に批判しました。不当な措置であるとして世界貿易機関に提訴も行っています。

当時は、日本企業に元徴用工への損害賠償を確定させる判決が日本の最高裁にあたる韓国大法院で確定するなど、日韓関係は最悪ともいえる状態にあり、文在寅はその報復行為だとして批判したわけです。もちろん、優遇国からの除外はそういったこととは関係なく、「安全保障上の問題があるから除外するのだ」と日本政府は説明していました。

韓国のグループA復帰について西村康稔(やすとし)経済産業相は記者会見で「今後、仮に韓国から第三国への不適切な輸出が確認されるなどの問題が生じた場合には、韓国に対して適切な対応を求める」と言っていましたが、これは少しおかしな話です。「第三国への不適切な輸出がない体制であることを確認したから復帰させる」という話であったはずです。

2022年5月に保守政党・国民の力の尹錫悦(ユンソンニョル)が大統領に就任して以来、岸田政権はシャトル外交(相互訪問による外交)を繰り返したり、G7サミットに尹錫悦大統領をオブザーバーとして招待したりするなど、韓国に歩み寄る外交を展開しています。2023年6月29日には、日韓両国政府が金融危機の際に通貨を融通する通貨交換協定(スワップ協定)を再開することで合意した、という報道がありました。

そもそも、スワップ協定再開の協議中止は、釜山の日本総領事館前に慰安婦像が設置されたことに抗議するということで決定されたはずです。しかし慰安婦像は撤去されず、そのままほとんど既成事実化してしまっています。協議中止の理由が取り除かれないまま再開するのであれば、「慰安婦像は撤去できていないけれど、安全保障上の要請があるから仕方なくやりました」など、それなりの説明が必要でしょう。筋を通さないと舐められるばかりであるのが外交というものです。

2018年年末に起こった韓国海軍レーダー照射問題はうやむやのままですが、過去最悪と言われた文在寅政権から保守系の尹錫悦政権に代わり、日本国内でも、日韓関係に改善が見られるのではないかという期待の声があるようです。尹錫悦大統領の方も、就任一年後の2023年5月、岸田総理との日韓首脳会談後の閣議で「少し前まで想像できなかったことが、いま韓日の間で行われている」と日韓関係の急速な改善を高く評価する発言を行ったことが報道されています。

しかし、過剰な期待は禁物でしょう。そもそも韓国大統領戦における尹錫悦の勝利は1%に満たない僅差での勝利でした。大統領が代わったことをもって韓国ががらりと変わることはないということです。

尹錫悦が大統領に就任した直後には、韓国の調査船が、竹島周辺の日本の排他的経済水域内で海洋調査を実施しました。松野博一官房長官は記者会見で「到底受け入れられるものではない」と非難しましたが、会見したその日も竹島北方の日本の排他的経済水域内に韓国の調査船が入り込み、ワイヤーのようなものを海中に投入しているのが確認されています。

安倍晋三政権、菅義偉（すがよしひで）政権は韓国に対してはかなり厳しい態度をとる政権でした。岸田総理は、まだ大統領に就任していない尹錫悦が派遣した政策協議代表団と首相官邸で会談するなど、最初から融和に積極的でした。文在寅と尹錫悦との違いというものに過剰な期待を見せています。

韓国はそう簡単には変わらない国です。近代国家の多くは「行政」「立法」「司法」の3つで成り立っていますが、大統領制を採っている限り、尹錫悦大統領の誕生は、「行政のトップが代わった」ということにすぎません。

立法にある議会は与野党が逆転状態にあり、60%は革新系が占めています。つまりこれは、尹錫悦大統領が思い通りの政策を進めることができない状態にあるということです。

司法もすぐに変わることはありません。たとえば元徴用工問題では、韓国大法院が国際条約を無視するような判決を出すわけですから、日韓両国政府間の政治的解決によるしか解決の方法がないケースが多発するという状態も変わりません。

２０２４年4月に行われる総選挙で保守系が大勝利すれば変わる可能性はありますが、そうしたことよりも、日韓関係が大きく変わる可能性があるのは、北朝鮮がなんらかの行動に出たときでしょう。

尹錫悦大統領はかねてから「北朝鮮が核開発を中断し、実質的な非核化に切り替えるなら、国際社会と協力して、北朝鮮と北朝鮮住民の暮らしを画期的に改善できる大胆な計画を準備する」とし、日米韓の安全保障協力を強調し続けています。２０２３年9月20日、尹錫悦大統領は国連総会の一般討論で演説し、「北朝鮮がロシアのウクライナ侵攻を支援する見返りにロシアが北朝鮮の兵器開発を支援すれば直接的な挑発となり、韓国と同盟国は看過しない」、「こうしたシナリオはウクライナのみならず、韓国にとっても脅威となる。北朝鮮の核開発とミサイル開発は、韓国を脅かしているだけでなく、インド太平洋と世界の平和に深刻な課題をもたらしている」と述べました。北朝鮮はその直後、「尹錫悦は馬鹿である」などと罵倒しました。

これはつまり、日米韓の関係が緊密であればあるほど北朝鮮の暴発を防ぐことができる、と尹錫悦大統領は考えている、ということです。日本も保守革新を問わず、これと変わることはありませんが、2023年夏頃からは連日のようにミサイル発射実験を行うようになった北朝鮮と国境を接している韓国の、これがリアリズムです。

韓国にとっては日米韓関係の緊密化が防衛上の国家戦略とならざるをえず、北朝鮮の動き方によって、日本に対する韓国の対応、たとえば竹島問題についての考え方も変わってくるということになります。

中国経済はもう発展しない⁉

企業が破綻するとはどういうことかを簡単に説明しておきましょう。民主主義体制を採っている普通の先進国の場合、企業は事業年度ごとに、一般的には決算書、法律用語では財務諸表と呼ばれている企業の財政状態や経営成績をまとめた書類を提出・公開することが法律で義務付けられています。そのなかでも注視される書類が貸借対照表、つまりバランスシートです。

バランスシートを見ると、その企業の資産と負債のバランスが一目瞭然です。資産の方が負債よりも大きければ問題ないわけで、負債の側に立つ債権者は特に心配はしません。

最悪の場合でも、資産をすべて売り払うなどの整理を行えば、債権はすべて返ってくることが見込めるからです。

バランスシートを見て、資産よりも負債が大きくなってしまっている場合、また業績の回復が見込めない場合、債権者は裁判所に破産手続きを申し立てます。破産手続きを、その企業側が行う場合もあります。

裁判所は該当の企業のバランスシートを見て、資産よりも負債の方が大きい、つまり債務超過と認めることができれば破産を認定します。一切の企業取引を停止するように命令し、管財人を選任して、現在残っている資産を債権者にどう分配するかの整理作業を開始させます。管財人は、債権のカット割合、つまりどれくらい返ってくるかを債権者集会で報告します。カットの割合は一律で、資産と負債の比率から算出されます。これを「債権者平等の原則」といいます。

以上が、企業が破綻するということですが、行政においてなぜこうした手続きができるかというと、世界標準の会計基準に基づく財務諸表、特にバランスシートの作成が義務付けられていて裁判所が公明正大な認定を行う根拠がしっかりとあり、破綻法制が明確に定められているからです。そして、普通の民主主義先進国の場合、こうしたバックボーンがあるからこそ、バブルの崩壊やリーマン・ショックといった事態が明らかになります。経済で好ましくないのは、市場が疑心暗鬼になることです。崩壊や破綻というのはもちろん良いことではありませんが、瑕疵（かし）が明らかになり、その処理策・解決策が具体化されることで、市場は疑心暗鬼から解き放たれて次の段階へ進みます。民主主義先進国の場合にはそのシステムが確立されているわけです。

ところが、中国にはそれがありません。ちゃんとした会計基準がないのです。私が官僚だった時代のことですが、とある国際的な経済会議において中国の説明を周囲が理解できず、「西洋の方法とはかなり違うようだが」と苦言を呈したところ、「悪いことやごまかしがあれば死刑が待っているから大丈夫なのだ」という返答があって出席した各国一同が唖（あ）然（ぜん）としたということがありました。「不良債権処理の大魔王」と呼ばれた時代に中国に呼ばれて話をしたとき、私が話したのは、まずはきちんとしたバランスシートをつくるべきだということでした。

２０２３年9月28日に香港証券取引所で再び株式取引停止となった中国の不動産大手・恒大集団が同取引所に提出していたバランスシートを見ると、２０２２年12月時点で日本円換算で資産約36兆円、負債48兆円で約12兆円の債務超過です。国際常識としては額にかかわらず債務超過となったところで株式取引は停止されるのが普通ですが、債務超過の状態でも取引が再開され、わずか1カ月ですぐにまた停止されました。このように異常なことが平気で行われるのが中国という国です。

債務のうちの債務超過の割合を債務超過率といいますが、通常、5％を超えれば経営再建は難しいとされています。10％を超えれば破産確定といったところですが、恒大集団の場合、12／48で、債務超過率25％であり、すぐにでも〝死亡認定〟してやらないとまずいことになるばかりといった状態です。売掛金を回収できないことは目に見えていますから誰もここと取引などするはずがありません。ところが、中国の裁判所は破産申請を受け付けないというのです。申請を受け付けて手続きを開始するとどんな不都合な数字が新たに出てくるかわからないから中国政府が受理させないということもあるでしょうが、とにかく中国では実効的な破綻法制が確立されていません。

2023年8月、恒大集団がアメリカのニューヨークで破産申請を行ったのもそれが理由ですが、ニューヨークでの破産申請には、恒大集団がアメリカで持っている資産を保護したいという別の思惑もあってのことでした。破産申請の直前に、恒大集団の関係者がドル債を記載しています。ドル資産を手にして、それを保全するためであるともいわれています。

通常の国の経済の良し悪しを見るときには「消費」の好調・不調に着目します。そして、通常の国の場合には最終需要の6割ほどを消費が占めるのが当たり前ですが、中国ではこれが5割以下です。中国の場合、消費ではなく投資が大きく、その内訳として不動産投資が多くを占めています。そして、GDPの30%が不動産関連で占められているとされています。

中国は共産主義体制の国で不動産とはいっても正確には土地の使用権を売買しているわけです。言ってしまえばデリバティブ商品の売り買いをしているようなものですから、損失の規模は巨額になりがちです。恒大集団の破綻は氷山の一角で、現在、注目されているのが地方政府による不動産投資です。

規制があるため、地方政府は借り入れを行って不動産に投資するということができません。そこで、「地方融資平台」という、日本で言えば第3セクターにあたる実質的には子会社のようなものをつくって借り入れを行っていました。

中国は1980年にIMF（国際通貨基金）に加盟しています。IMFには「第4条の規定に基づき、IMFは加盟国との二者間協議を通常は毎年行う。IMF職員の代表団が協議相手国を訪問し、経済や金融の情報を収集するとともに、その国の経済状況や経済政策について政府当局と協議する。本部に戻った後、代表団のメンバーは理事会での議論の土台となる報告書を作成する」という規定があり、「４条協議」と呼ばれています。

中国においても当然「４条協議」はあり、地方融資平台という借り入れプラットフォームは問題があるというのでＩＭＦのスタッフが問題提起しました。ところが、中国側からは、データは一切出てきませんでした。そこでＩＭＦが推計として発表した数字が２０２２年末時点で債務約１３００兆円です。負債に対する資産はおそらくほとんどないでしょう。中国当局はもちろん反論を寄せていますが、ＩＭＦは、２０２７年には２０００兆円の大台に乗るだろうとしています。

日本のバブル崩壊で発生した全銀行の不良債権の総額は、大雑把に言って約１００兆円でした。今の中国の状態は桁が違います。さらには、確立された会計基準も破綻法制もありませんから、破綻は隠されたまま膨らみ続けていくことになります。疑心暗鬼は解消されることなく、取引は縮小していくことになるでしょう。そうした経済縮小が今後、中国のＧＤＰの３割を占める不動産関連の経済活動すべてにおいて起こります。

とはいえ当面、中国を相手に不動産取引をしている人たち以外への影響はないでしょう。

ただし、中国において不動産およびその関連業界がダメになってくるということは、当然、中国の経済全体がダメになっていくということにつながります。不動産に限らず、中国を相手に取引している人は十分に考えて対策を取るべきでしょう。

ここまでは日本に対する中国経済の影響は限定的ですが、問題は事が深刻化した場合、習近平国家主席が、そうした経済的な国内の不満のはけ口を海外に向ける可能性があるということです。

具体的には「台湾有事」と呼ばれている事態です。統一に向けて中国が台湾に軍事侵攻すればアメリカが軍事介入することは必至であり、そうなれば当然、日本全体の安全保障および経済に影響が及ぶということになります。

ロシアに合理性を求めても無駄

ウクライナにおける戦争状態を外交的に解決するのは簡単なことではありません。そもそも合理的な判断をもってウクライナ侵攻を開始したわけではないプーチン大統領に、合理性を期待することはできません。

ロシアのウクライナ侵攻の可能性は以前から指摘されていたことですが、西側の分析家はごく常識的に「そのような暴挙はロシアの国際的な立場を完全に失墜させる」「経済的な損失が大きすぎる」「ウクライナに軍事侵攻してもなんの利益もない」と考え、侵攻はないと結論づけていました。

しかし、それは西側の論理にすぎず、プーチン大統領のロシアは、国際的な立場など気にすることなく、また経済的な損失も問題にせず、「ロシアの正義」を振りかざし、ウクライナを「テロ国家」と認定することで2022年2月24日に「特別軍事作戦」を開始しました。

ウクライナへの軍事侵攻には、ロシアの正義、つまりロシアの言い分というものが当然あります。しかしロシアの行為は国際法違反であり、ウクライナが先制攻撃をしていない以上自衛にはあたらず、問答無用でロシアに非があるとするのが国際常識です。

プーチン大統領は「戦争」という言葉を使っていません。2022年12月のクレムリンでの記者会見で戦争という言葉を使って話題になったことがありましたが、2023年5月10日の戦勝記念日における演説でも使用されている言葉は「特別軍事作戦」です。「戦争」という言葉の使用は「ロシア国民の総動員体制を敷いて軍事行動を行う」ことを意味します。

ウクライナ侵攻から2カ月半ほど経った2022年の戦勝記念日でプーチン大統領は「戦争宣言」をするものと見られていましたが、実際に行われた演説のなかに戦争宣言はなく、また、ウクライナ侵攻の成果が報告されるわけでもありませんでした。戦争宣言は場合によってはNATOに対する宣戦布告を意味してしまう可能性もあり、さすがにそれはできないということだったのでしょう。

ウクライナ侵攻に至る根拠としてプーチン大統領は、次のように述べていました。

「われわれの責務は、ナチズムを倒し、世界規模の戦争の恐怖が繰り返されないよう、油断せず、あらゆる努力をするよう言い残した人たちの記憶を大切にすることだ」

「去年12月、われわれは安全保障条約の締結を提案した。ロシアは西側諸国に対し、誠実な対話を行い、賢明な妥協策を模索し、互いの国益を考慮するよう促した。しかし、すべてはムダだった。NATO加盟国は、われわれの話を聞く耳を持たなかった」

「キエフは核兵器取得の可能性を発表していた。そしてNATO加盟国は、わが国に隣接する地域の積極的な軍事開発を始めた」

プーチン大統領の演説のなかで、私が「なんだこれは」と思ったのは次の一節です。

「ロシアが行ったのは、侵略に備えた先制的な対応だ。それは必要で、タイミングを得た、唯一の正しい判断だった。主権を持った、強くて自立した国の判断だ」

条約と慣習国際法からなる国際法によれば、先制攻撃は国際法違反です。そして、自衛権は、あくまでも武力行使を受けた後に行使できるものとされています。それを承知の上でプーチン大統領は「先制的な対応」という言葉を使いました。

「軍事インフラが配備され、何百人もの外国人顧問が動き始め、NATO加盟国から最新鋭の兵器が定期的に届けられる様子を、われわれは目の当たりにしていた」から「侵略に備えた」ということなのですが、当然のことながら、何百人もの外国人顧問の提供や武器の供与は、軍事侵攻してよい理由にはなりません。

国際社会に批判される筋合いなどないという状態で戦闘を開始するためには、たとえば武器を搭載した戦闘機がロシアに向けて発進されたとか、モスクワに標準を合わせたミサイルが撃たれたなど、相手側のいわゆる「戦争の着手」が必要になります。ロシアのウクライナ侵攻以前に、そうした行動をウクライナがとったという事実は見あたりません。

また、「NATO加盟国は、われわれの話を聞く耳を持たなかった」あるいは「ドンバスでは、さらなる懲罰的な作戦の準備が公然と進められ、クリミアを含むわれわれの歴史的な土地への侵攻が画策されていた」というのは、ＮＡＴＯがロシアに攻め入る寸前だったから自衛権を行使したのだという主張ないし言い訳ですが、これもかなり苦しいものです。先にウクライナに侵攻したのは明らかにロシアであり、自衛権を行使したというのであれば、ロシア側にそれを検証して証明する責任があります。その検証責任を果たすのはまず無理ですし、期待できることでもないでしょう。プーチン大統領は、ウクライナ侵攻が国際常識から外れるものであることを承知の上で、また、承知しているあまり、「先制的な対応」という余計なことを口にしてしまったのだろうと思います。

戦争が長引いて、いずれかの段階で仲裁が入ってロシアの言い分を聞くということになった場合でも、プーチン大統領の「先制的な対応」という発言は不利に働くはずです。ただし、ロシアの国際法違反、また、民間施設への爆撃や原子力発電所への攻撃、カホフカ水力発電所のダム決壊などロシア軍の関与が証明されれば戦争犯罪となる事案などは、ロシアがこの戦争で徹底的に勝利するようなことになれば、いずれの事案も雲散霧消してしまいます。

したがってロシアは「徹底的に勝つ」以外に道はありません。徹底的に勝つとは、ウクライナがロシア側の要求をすべて飲んで無条件降伏するということです。これは同時に、武力による一方的な現状変更を国際社会が認めることを意味し、国際法に基づく世界秩序の崩壊を意味します。

アメリカとの健全な同盟関係とは？

安倍晋三氏が、暗殺される2カ月ほど前の2022年5月6日、私はBSフジの報道テレビ番組に出演して、《米軍が「核の傘」を含む抑止力で日本を守る「拡大抑止」に関しては日米両政府が報復の手順を協議して決めておく必要がある》、《米国が核の報復をする確証を相手が持たないと抑止力にならない。具体的な手順を決めることが大切だ》、《日本が攻撃された際の米国による報復の手順は決まっておらず、核の傘は揺るがないと米国は明確にしているが、より現実的にする必要がある》と述べました。

核兵器に関する理論としてよく知られているものにMAD理論（Mutually Assured Destruction：相互確証破壊理論）があります。双方ともに核兵器を保有している国が対立しているとします。そのどちらかが相手国に対して核兵器で先制攻撃した場合、攻撃された国は破壊を免れた核戦力によって確実に報復できる能力を保証する態勢にあるとします。すると、先に核攻撃を行った国も相手国の核兵器によって甚大な被害を受けることになるため、理論上、二国間においては核戦争を含む軍事衝突は発生しないという理論です。

簡単にいえば、核を持つ国に対して核を持つ国が戦争を仕掛けることはない、というのがＭＡＤ理論で、実際、１９７０年代から冷戦崩壊までの20年間ほどは、米ソ間の軍事衝突はありませんでした。

ＭＡＤ理論は、同盟の効力評価においても検討されるべき理論です。核を持たない国が同盟関係にある核保有国の核兵器使用に計画的に関与すること、たとえば運搬を担当する、領土内に核兵器を配備させるといったことを「核シェアリング」といいますが、同盟の強化に核シェアリングの議論は避けて通ることができません。

２００９年の段階でベルギー、ドイツ、イタリア、オランダ、トルコが核シェアリング政策の一環としてアメリカの核兵器を受け入れました。つまり領土内にアメリカの核兵器を配備したＮＡＴＯにおいてはＭＡＤ理論が成立しています。ＭＡＤ理論が成立している同盟は強い同盟だということができます。

一方、日米同盟はどうでしょうか。日本はアメリカと同盟関係にありますが、核シェアリングはしていません。岸田総理は、ロシアによるウクライナ侵攻があった直後の２０２

2年3月2日の参議院予算委員会で「政府として核シェアリングを議論することは考えていない」とも述べています。核シェアリングをしていないので、日米同盟は実は弱い同盟です。

G7のなかで、MAD理論が成立しないのは日本だけです。アメリカ、イギリス、フランスは核保有国です。カナダはアメリカと一体の関係にあり、実質的に核を保有しているのと同じです。ドイツ、イタリアは核シェアリングしています。日本だけがいわば丸腰で、中国および北朝鮮と隣接しています。

それらの国から「日本は常に射程に入っているんだぞ」というカードを切られたとき、アメリカが即座に軍隊を動かしてくれるとは限りません。日本がまず戦い、どうにもならなくなったときにやっと動く、というのが日米安全保障条約の実際です。

2010年11月に、北朝鮮が突然、韓国に対して軍事行為を行い、民間と軍関係を含め4人の死者と19人の負傷者が出たことがあります。北朝鮮軍が何の予告もなく、北方限界線を越えた延坪（ヨンピョン）島に向けて砲弾約170発を発射したのですが、このとき、在韓米軍は動きませんでした。北朝鮮軍が侵攻してくるようなことでもあれば動いたかもしれませんが、同盟関係にあるとは言っても、基本的にはそんなものです。同盟を結んでいても、「まずは自分たちで守る」ということが求められる、それが世界の常識です。

近年、北朝鮮の脅威が日毎に高まっています。北朝鮮は従来、日本にミサイルを撃ち込めばアメリカに報復されるだろうということで自制してきました。日米同盟が抑止となってきたわけです。

そこで、日米同盟を考える上ではかなり深刻な問題であるのが、ロシアに対するバイデン米大統領の姿勢です。２０２１年12月８日、前日にプーチン大統領とのビデオ会談をすませたバイデン大統領は、「ロシアが侵攻した場合、ウクライナに米軍を派遣することは検討していない」と述べました。実際、侵攻後も軍隊の派遣は一切ありません。

北朝鮮にしてみれば、ウクライナに侵攻したロシアに対して軍隊すら出さないアメリカなら、日本にミサイルを打ち込んでも直接介入してくることはないのではないか、という理屈が伴っているはずです。

今のところ、北朝鮮は日本を相手にしてはおらず、アメリカとの直接交渉に注力しているわけですが、ギリギリまで追い詰められ、アメリカとの直接交渉を諦めるとなったときにはどのような手段に出てくるかわかりません。日本に対して核をちらつかせて経済制裁の解除を迫ってくることがあれば、日本は圧倒的に不利になります。

なぜなら、安倍元総理が《米軍が「核の傘」を含む抑止力で日本を守る「拡大抑止」に関しては日米両政府が報復の手順を協議して決めておく必要がある》と述べたということは、報復の手順が決められていない、ということに他ならないからです。日本はこれまで、日米同盟に基づいて「アメリカの核の傘に守られている」と信じてきましたが、この傘は決して絶対的なものではなく、アメリカは、とにもかくにも核を持ってしまっている北朝鮮との直接対決を避けて手を引く可能性もあります。

同様に、対中国に対しても、核大国対核大国の対立による第3次世界大戦の発生を避けることを理由に、中国への報復はきわめて限定的なものとなる可能性があります。

同盟関係にある日本に対してはさすがにウクライナのように「武器だけは提供するから頑張れ」ということにはならないでしょう。しかし、中国ないし北朝鮮が核攻撃の兆候を見せたとき、即座に発射基地を攻撃して発射を食い止めてくれるかどうかは未知数です。また、自ら国を守る姿勢を見せずに一方的に「守ってくれ」とだけ言ってくる国のために、自国の兵士の生命を差し出す国などどこにもありません。

強い同盟、つまり健全な日米同盟のために、日本は今、核の保有、少なくとも核シェアリングは考えざるをえない段階にあるといえるでしょう。

第3部

理系思考で日本社会を改革する

第5章

「AI化」に正しく対応せよ

文系アタマに多いAIへの誤解

ＡＩ（Artificial Intelligence）は、「人工知能」と訳されていますが、この「人工知能」という言葉が特に数字に弱い人たちに大きな誤解を与えているようです。知能という言葉から想像を働かせて、機械が「知恵」を持って判断したり勝手に動き出すのがＡＩだと思っている人が少なくありません。

だからＡＩに世界が乗っ取られるというストーリーのＳＦ映画がすでに定番となって流行ったりするわけですが、ＡＩが実際に「知恵」を持つことなどありません。ＡＩは人間がつくったプログラム通りに動くだけです。

ＡＩが人間より優れているのは、大量かつ高速にデータ処理ができること、に尽きます。ＡＩは人間がつくったプログラムにすぎません。したがって、「ＡＩ化で実現可能なことは何か」という疑問に対する答えはすべて、「それを人間がプログラム化できるかどうか」に還元することができます。

つまり、プログラム化できることはＡＩ化が起こりえます。プログラム化できないことは、いくらそこにＡＩなるものがあってもＡＩ化は起こりえません。

もちろん人間または人間社会に被害をもたらすようなＡＩは存在可能です。プログラムのなかにそういう命令を入れておけばいいのですから。しかしこれは、そのＡＩが破壊的な意志を持っているということではありません。

ＡＩはプログラムを書いた人間の意図によって動くだけです。破壊的な意志を持っているのはＡＩではなくプログラムを書いた人間の方です。

ロシアによるウクライナ侵攻において無人ドローンによる攻撃は、２０２２年内はほとんどウクライナ側だけでしたが、２０２３年に入ってロシア側もそれを使うケースが数として10倍程度の規模で増えてきました。ドローンはターゲットに対してピンポイントで攻撃することができますが、それはそのようにプログラムしてあるからです。プログラムの記述にミスがあれば、また、プログラムが改竄（かいざん）されればドローンは最初に意図したようには働きません。

「ＡＩに世界が乗っ取られる」といった類の話をまことしやかにする人に対しては、ぜひ次のように問いかけてみてください。

「どういうプログラムを書けば世界を乗っ取ることができるのですか？」

ここで重要なのは、世界を乗っ取ることができるプログラムを書くことができるのであれば、それは同時に、世界が乗っ取られないようにするプログラムを書くことができるということを意味するということです。

プログラムのなかには、プログラムがプログラムを書く「進化型プロクラム」と呼ばれるものもあります。しかしそれも、どこまで書かせるかを決めるのは人間です。

アメリカのＡＩ開発企業・OpenAIが２０２２年11月に公開したChatGPT（チャットジーピーティー）はたいへんな人気で、日本からOpenAIのサービスサイトにアクセスして利用実行した回数は２０２３年の5月中旬に過去最高の１日７６７万回に達したそうです。以降は横ばいの数字となっているとのことですが、日本からのアクセスはアメリカ、インドに次ぐ世界第3位ということです。

ビジネス企画書や大学のレポートが自動的に書けてしまうなど、盛んにその能力が宣伝されましたが、文章の生成機能は別として、ChatGPTは使用するデータベースを広げに広げることができているだけの話です。

たとえば料理のレシピなどはネット上に大量にあります。それを高速で読み込んで平均的なレシピをつくることは難しいことではありません。できあがったそれを、凡庸なレシピか画期的な改良レシピか判断するのは人間の方です。

こうしたことにいちいち驚くのは、コンピュータ・プログラムになじみがないからです。技術者でなくても、プログラムに少しでも触れたことがあってその原理を知っている人は、コンピュータの世界は実はどれも似たりよったりで、事情を知らない世間が針小棒大に言うだけであることがわかっていますから、いたずらに騒いだりはしません。

２０２０年に小学校、２０２１年に中学校でプログラミング教育が必修化されましたが、いいことだと思います。現代人は、スマートフォンをはじめ、大量のコンピュータ機器に取り囲まれる生活を送っています。

プログラミングを知っているということは、そうした機器の原理を知っているということです。何かしらの問題が生じたときにも、これはこういうことだなと推測ができます。少なくとも慌てふためくようなことはなくなるでしょう。

ＡＩで変わること、変わらないこと

ＡＩに世界を乗っ取られることはありませんが、ＡＩが人間の仕事の一部を奪ってしまうことはありえます。これは、コンピュータは何に優れているのか、を考えることでわかってきます。

コンピュータが優れているのは計算能力です。計算に関しては、人間よりもはるかに優れています。

ただし、いまだ解決されていない数学上の証明問題を解くのは、当面の間はＡＩにも不可能です。なぜなら、解けるように人間がプログラムする必要があるからで、プログラムできるということはすでにその証明問題は解決されているということだからです。

コンピュータの優れた計算能力を生かしやすいのは、ルーティン作業と呼ばれるような定型的な繰り返し作業です。これにはたとえば、弁護士、公認会計士、税理士など、「士」の文字がつく、いわゆる士業（しぎょう）も含まれます。

士業は高度な専門資格を必要とする職業の通称です。難度の高い国家試験を通ってその職業に就いている場合がほとんどですから、代わる者のない専門職のように思われていますが、実際に行っている仕事の多くは定型的な業務です。

弁護士の仕事はおおまかに言うと、法律知識をもとに過去の判例を調べるなどして依頼者に法的な助言を行うということです。ここでは時間的にも能力的にも人間よりもＡＩの方が勝っていることがあります。それは、過去のすべての判例を調べるということです。

ＡＩは、大量のデータから、該当案件に近似の判例を探し出してきて法的対応策を提示するという作業を、きわめて少ない時間でやってしまうでしょう。

ならば裁判官の仕事もかなりＡＩ化できるだろうということになります。裁判のほとんどは過去の判例に基づいて行われるわけです。有罪・無罪、量刑の判断は、公平な結論を出すという点ではＡＩの方が優れているでしょう。いずれにせよ、業務の多くの部分をＡＩに行わせることができます。

税理士の仕事は最もＡＩ化されやすいもののひとつかもしれません。税務申告についてはは国税庁が運営する「e-Tax（イータックス）」というインターネット上の国税電子申告・納税システムがすでに整備されていますし、必要書類の作成手段もデジタル化されています。

また、銀行の融資業務ほどＡＩ化しやすいものはありません。企業に融資する場合、銀行は、相手企業の財務諸表や担保などを分析して実行するか否かを決めます。必要なデータを入力することで倒産確率といった数字を計算し、その数字を元に判断するわけですから、プログラムを組んでＡＩ化することは簡単です。

このように、仕事の中身を定義できるものはプログラムできる、つまりＡＩ化できる、ということですから、公務員の仕事もＡＩ化に向いています。公務員の仕事は、「法律に基づいて業務を執行する」ということだからです。

ＡＩは恣意的な要素を入れずに何に対しても同じ計算をする、つまり公平に作業しますから、許認可の仕事などは特にＡＩに向いているといえるでしょう。裁量の幅が肝心、と考えられている許認可ですが、実際には決められた要件に合致しているかどうかを見ているだけで、「幅」などといったものはありません。そもそも疑いの目で見られることの多い許認可ですから、いっそＡＩ化してしまった方がよいのです。

日本の中央銀行である日銀の仕事も、かなり簡単に定義できます。ということは、ＡＩ化しやすいということです。

日銀の仕事は、「失業率とインフレ率の関係を一番いい状態にする」ということです。失業率が最も低く、インフレ率が最も低い状態を目指すのが日銀の仕事です。

国によって違うのですが、これ以上失業率は下がらないという失業率の下限の値をＮＡＩＲＵ（ナイル）といいます。先にも述べましたが、失業率をＮＡＩＲＵ以下に下げようとするとインフレ率は加速度的に上がってしまいムダなインフレ率となります。

失業率が高くてＮＡＩＲＵにまで下がっていないときには、金融緩和や積極財政を行う

図表⑦　マクロ政策

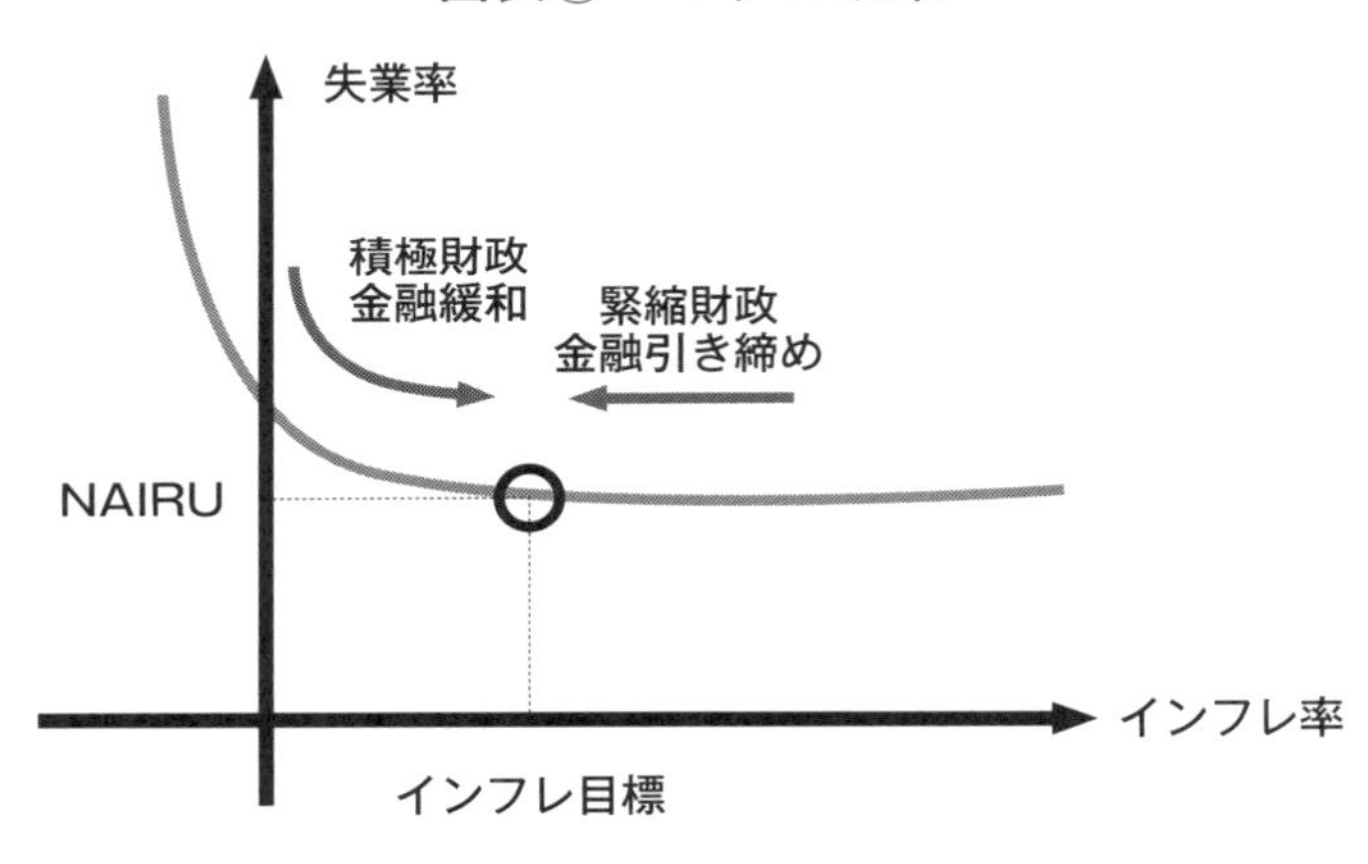

ことで失業率が下がっていきます。ＮＡＩＲＵにまで下がったときに政策を変えないでいると失業率は下がらずにインフレ率だけが加速度的に上がります。インフレを抑えるためには、金融引き締めと緊縮財政が必要になります。

ＮＡＩＲＵという数字があり、目標は「ＮＡＩＲＵまでは金融緩和・積極財政、ＮＡＩＲＵに達したら金融引き締め・緊縮財政」というシンプルさですから（図表⑦）、ＡＩ化は簡単です。現在、金融政策は、日銀委員の多数決によって決められていますが、「経済政策は失業率とインフレ率のみ」と割り切って定義するべきだろうと思います。

日銀委員のなかには金融機関出身者もおり、

「金利を下げると金融機関が影響を受ける、金融機関にとっては失業率など二の次だ」などといった個別業界の利害を政策に反映させがちです。「ＮＡＩＲＵを目標に、失業率が最も低く、インフレ率が最も低い状態を目指す」というのが先進国の経済政策の常識です。失業率とインフレ率だけの単純なプログラムのＡＩ化は、世界標準の考え方でもあります。

医療の分野ではＡＩ化が実際に進んでいます。画像診断についてはすでにＡＩが人間の能力を上回っているようです。手術支援ロボットについては市場においてすでにその開発・販売競争が激化しています。

芸術の分野はどうでしょうか。人間の目はごまかされることが多く、過去のさまざまな絵のデータを収集すれば、かなりのことができてしまうでしょう。音楽も同様です。

エンターテインメント分野においては、２０２３年の5月、アメリカの脚本家を中心に約1万１５００人で構成される全米脚本家組合が、ウォルト・ディズニーやネットフリックスなどが加盟する業界団体「全米映画テレビ製作者協会」に対し、ＡＩに脚本を書かせたり、過去の作品を学習させて新たな作品づくりに利用したりしないよう求めて大規模なストライキを行いたいへん話題になりました。

ストライキは5カ月に及び、同年9月24日に全米脚本家組合が大手製作会社との労使交渉で暫定合意に至ったと発表しました。全米脚本家組合の同月26日の概要発表によると、その合意内容は、《自動で文章をつくり出す対話型ＡＩ「チャットＧＰＴ」などが生成した素材は作品とみなされない》《ただし、脚本家は制作会社が同意した場合に会社の定める指針に沿ってＡＩを使用できる》《その上で、ＡＩ利用を理由に脚本家の名前が作品から削除されたり、脚本家がその他の権利を失ったりしない》《また、制作会社は脚本家にＡＩの使用を強制できない》《全米脚本家組合が少なくとも年２回、制作会社側と映像作品の開発・制作におけるＡＩの利用計画を協議する》というものでした。

要は、ＡＩが作成したものであろうとなかろうと脚本には脚本家という人間が介在しなければならず報酬が発生しなければならないということです。

一方、アメリカの俳優約16万人が加入する全米映画俳優組合も、２０２３年７月13日から、報酬引き上げとネット配信プラットフォームにおける報酬確保と並んで、ＡＩを通じた画像の不正使用に対する保護策の設置を訴えてストライキに入っていましたが、こちらは２０２３年10月現在、スト続行中です。ハリウッドでは、ＡＩに仕事を奪われかねないということが労使抗争の重要なテーマとなっていて、一定の指針がすでに設定され始めているわけです。

ChatGPTで注意すべきこと

先に挙げたChatGPTは「Chat Generative Pre-trained Transformer」の略で、事前に集めておいた情報で学習しておき対話の方法を通して自動的に回答を生成していく仕組み、といったほどの意味です。

開発したのはOpenAIというアメリカのＡＩ開発企業で、OpenAIは、一般的にはツイッターの買収やそのＸへの改名でよく知られる起業家イーロン・マスクらが２０１５年に非営利法人として設立したOpenAI Inc.が母体になっています。イーロン・マスクはすでに運営から離れていて、OpenAIは現在、マイクロソフト社が筆頭株主（持株49％）に立つ企業となっています。

２０２２年11月のサービス開始以来、テレビのワイドショーや情報番組などで、とにかく凄いものができた、ＡＩは驚異的に進化している、などともてはやされ続けています。「どんな質問にも答えてくれる、新しいアイデアが生まれる感覚がある」など、特にビジネスの現場での活用メリットに期待が集まっているようですが、企業のなかには明文化するかたちで、ChatGPTは、「正確とは限らないから、最終的な判断は人が行う必要がある」「最近のことは回答不可能」「扱っているのは公開情報のみ」「英語で質問する方が詳細・正確な答えが返ってくる」「未来のことはわからない」といった注意を喚起しているところもあります。

この注意喚起はおおむね正しいといえるでしょう。ChatGPTは、従来のネット検索システムと変わりはありません。検索とコピー&ペーストを自動的にやってくれるというだけの話で、検索機能と文章構成機能でできているのがChatGPTであって、いわれているほど高レベルのシステムというわけではありません。

ChatGPTは、簡単にいうと世の中に転がっている話を集めてきて回答しているだけですから、その答えは当然、平均的なものになります。そういう意味ではChatGPTが返してきた回答に満足しているような人は平均以下のレベルにあるといえるでしょう。トップレベルの教養からすれば、まず話になりません。

私をはじめ、評論や解説を仕事のひとつとしている人にとっては、専門家として十分期待に応えられているか、つまりChatGPTの返答より上の情報を発信しているかどうかを確認するという作業においては、ChatGPTは使えるかもしれません。

「英語で質問する方が詳細・正確な答えが返ってくる」というのはおもしろい指摘で、

ChatGPTは、各国ないし各言語環境におけるそれぞれの情報レベルがよくわかるサービスでもあります。

たとえば、高度な数学の証明問題は日々研究され続け、解かれ続けているわけですが、問題が解けた段階で、まず英語で成果が発表されます。ということは、事前学習が時間的に間に合っていれば、ChatGPTは、英語で質問された場合にはその証明問題および解を完璧に探し出してきて答えてくれます。

ただし、その証明問題が日本であまり有名ではなく、日本語のサイトがその証明問題および解の紹介に十分に対応していない場合には、日本語でChatGPTに質問した場合、ネット上の、日本語によるさして重要ではない情報が要約されて答えとして出てくるに留まるということになります。

私は現在、嘉悦大学の大学院で教授を務めているので大学の事情については詳しいのですが、レポートについては昔から、ネットで検索してコピー&ペーストして書くということが行われていました。ChatGPTは文章まで生成してくれるのが問題だということですが、別にそれは今に始まったことではなくて、大切なのは、方法はともかく自ら調べてきたものにどれだけの付加価値をつけられるかということです。

意地悪ととられるかもしれませんが、レポート課題を出すときに、「ちなみにChatGPTはこう答えているが」と釘を刺し、これにどう付加価値をつけることができるかで採点することを伝えるということにもなるでしょう。これは時代の変化ということかもしれません。

「少子高齢化」「人口減少」でも経済成長できる

2023年6月13日に同年1月の所信表明で岸田総理が述べた「異次元の少子化対策」の概要である「こども未来戦略方針」が閣議決定され、各省庁と内閣官房のウェブサイトに内容説明が掲載されて明らかになりました。

「経済的支援の強化や若い世代の所得向上」「すべてのこども・子育て世帯に対する支援の強化」「働き方改革（共働き・共育て）の推進」を3本柱として、児童手当の拡充に1・2兆円、保育サービスの充実に0・8兆円から0・9兆円、奨学金の拡充などを合わせて全体で約3兆円から3・5兆円ほどを投入する対策となる見通しであるということです。

先進主要国の児童手当や税制支援を見てみると、たとえばイギリス、フランス、ドイツ、スウェーデンには所得制限なしの第一子月額2万円程度の制度があります。アメリカにはこうした制度はありません。

ただし、アメリカには児童税額控除があり、イギリスにも児童税額控除、フランスには世帯単位で課税するN分N乗方式、ドイツには児童手当との選択制で児童扶養控除があります。スウェーデンには児童税額控除はありません。

先進諸国ではこのように、児童手当は児童税額控除と一体運営されるのが普通です。所得制限がないのはそのためです。一方、日本では、児童手当は第一子原則1万円で所得制限があり、税制支援は扶養控除が担います。つまり児童手当と税制支援は併存していて一元化されていません。

欧米で児童手当と税制支援が一体となっているのは、税と社会保障が一体運営で、税と社会保険料は一体化されて歳入庁で運営されているからです。児童手当は社会保障関連支出として解釈し、税と一体運用する方が合理的だから、こうした体制がとられています。ちなみに先進国のなかで、税と社会保障を一体運営する歳入庁が存在しないのは日本だけです。

日本では税と社会保障は別物です。財務省と厚労省がそれぞれ縦割りで運営しており、接点と言えば消費税を社会目的税として考えているというところです。そして、消費税を社会目的税としている国もまた先進国のなかでは日本だけです。

なぜ消費税を社会目的税としているかというと、消費増税の根拠とするためです。財務省は社会保障を人質にして消費増税を目論むということです。少子化対策に財源論は抜きにはできず、少子化対策は広い意味での社会保障であるから、社会保障財源である消費税を増税するのは合理であるという理屈です。

いわゆる「異次元の少子化対策」は、「異次元の消費増税」につながる可能性があるわけですが、私はそもそも少子化対策の必要性自体に疑問を持っています。

厚労省の社会保障審議会年金部会で配布された資料（２０２３年5月8日付）には、「日本の人口は２０２０年の1億２６１５万人から、２０７０年には８７００万人に減少する」「高齢化も進行し、65歳以上人口割合は２０２０年の28・6％から一貫して上昇し、２０７０年には38・７％へと増加する」とあります。こうした数字を受けて、マスコミが「人口減少は経済に多大な影響を与える。少子化をどうにかしなければならない」と騒ぎ立てているわけです。

人口は出生率と死亡率で決まります。出生率とは一般的に、合計特殊出生率と呼ばれている、1人の女性が15歳から49歳まで（出産可能とされている目安の年齢）に産む子供の数の平均のことを指します。先進国の出生率は低下傾向にあるのが普通です。

２０２３年6月に厚労省が発表したデータによれば、２０２２年の出生率は1・26でした。前年が1・30で、1・26は過去最低の数字です。

人口が減少し続けないためには最低でも1・8の出生率が必要だとされていますが、この水準は、出産を希望する女性が全員出産できた場合に達成される数字で、現実的なものではありません。出産は自然の摂理で、1を割ることは珍しく、1・5くらいでも問題はないとされています。

政府は２０１５年から希望出生率として1・8を掲げていますが、この数字を達成させる対策は存在しません。また、対策する必要もありません。国民の幸せが人口増加にあるわけではないからです。

「人口減少によって国力が低下する」という言い方があります。「国力」を国防や治安、防災などの国防力のことだと考えれば、若い人の数が減れば、たしかに何かしらの影響はあるかもしれません。

これはつまり「生産年齢人口が減れば生産力が落ちるから国防力も落ちる」という意味

なのですが、であるならば、落ちるとされている「生産力」が人口減少によってどのように影響されるのかを考える必要があります。

その国の生産力を見るときには、その国のＧＤＰ（国内総生産）を見るのが普通です。ＧＤＰは簡単にいうと「平均給与×総人口」です。

したがって、人口が減ればＧＤＰが減るのは当たり前だと言うことができるのですが、重要なのは、厚労省の前提に従えば「予想通り２０７０年に８７００万人に人口が減るとすれば、ＧＤＰは実際にどれくらい減るのか」ということです。

私が持っている計算式に従って先に結論を言ってしまうと、人口が８７００万人に減少した場合に、それがＧＤＰ成長率に与える影響は最大で０・７％です。人口の増減と一人あたりＧＤＰの増減はほとんど関係がありません。人口の増減はマクロ経済指標にはほとんど影響しません。

マクロ経済には影響しないとはいえ、ミクロ、つまりたとえば民間企業の経済活動には影響があるだろうと思われるかもしれませんが、結論からいえばここにも人口減少はほとんど関係しません。

人口が増えたからといってお客さんが増えるわけではないというのは当然のことでしょ

う。同様に、お客さんが減っていくのを人口減少のせいにはできません。

人口が増加傾向にあった時代においても企業の倒産はいくらでもありました。一方、人口減少の時代でも、事業規模の縮小はあるかもしれませんが、売上を伸ばすことは可能です。

国内シェア100%の商品を扱う独占企業には人口減少は多少の影響はあるでしょう。しかし、日本の場合、全企業の99%が中小零細企業ですからほとんど影響はありません。独占企業が受ける影響は全体から見れば、誤差の範囲の数字です。

人口減少が経済にマイナスに作用する要因になるという理論は確かにあり、「人口オーナス」によるGDPの押し下げ効果がよく知られています。

オーナス（onus）とは「負荷、重荷」といった意味ですが、これはたとえば、まだまだ働きたいという高齢者を積極的に登用すればいいし、それこそAIを利用して生産性を上げればいいだろうという話になります。

人口減少が経済に影響するというのは単なる思い込みです。身近な生活にも影響はありません。経済の基本からすればそう結論せざるをえず、世界のなかで人口減少している国は20カ国程度ありますが、経済成長率を見たとき、日本はここ30年ほどのデフレ不況で最低の成長率にあるものの、他の国々はちゃんと経済成長しているのです。

外国人労働力は本当に必要か

２０２３年9月28日に、日本商工会議所が7月に全国の中小企業３１２０社を対象に行ったアンケートの結果を発表しました。人手不足状態を確認するためのアンケートで、約7割、68％の中小企業が「人手不足である」と回答したのですが、これは２０１５年の調査開始以来最悪の数字であるとのことでした。

そしてまた、人手不足であると回答した中小企業のうちの64・１％が事態を深刻として、事業継続および運営が困難になりつつあるとしています。人手不足が特に目立つ業種は、介護・看護、宿泊・飲食、運輸、建設です。

少子高齢化を背景に生じたとされる、いわゆる空前の人手不足への対応策として、２０１８年に成立した改正入管法による外国人労働者の受け入れが注目されています。改正入管法によって在留資格「特定技能」が新設され、人手不足が顕著な介護、外食、建設、農業などの14業種において単純労働に外国人労働者が就くことを事実上、認可したわけです。

出入国在留管理庁の調べによれば2022年6月時点での在留外国人数は296万1969人です。このうち、外国人労働者は182万2725人で、前年から9万5504人増加しました。

労働力の確保という意味では確かに外国人労働者の受け入れは効果があるでしょう。国内の在留外国人すべてにそれを期待しているわけではないにせよ、多くの日本人、特に中小企業の経営陣は労働力としての外国人に期待しています。同時に、外国人に仕事を奪われるということも危惧されています。

移民こそがその歴史をつくってきたと言ってもいいほどであるヨーロッパなどとは違い、日本は古来、外国人労働力に頼ることなく国として十分に成り立ってきました。日本における外国人労働力の問題は、外国人労働者の流入によって予測される社会問題の大きさとの比較で考えられるべきものでしょう。

移民に関するコストについては、企業の便益は安価な労働力、それにより経済成長のマクロ便益はありますが、日本人の労働を奪うのでマクロ便益は軽微になります。一方、安価な外国人を受け入れるので社会保障はかなりマイナスとなり、日本全体ではマイナスです。

2023年6月には、難民関係の規定において、難民認定申請を繰り返すことで送還から逃れようとするケースが排除され、「3回目以降の申請者に対しては、相当な理由で認められない場合は本国へ送還されることになる」という入管法の改正がありました。

一般的に人手不足は悪いことではありません。人手不足によって賃金アップが生まれるからです。また、「人口オーナス」という理論があるのと同時に、人口減少を「人口ボーナス」として捉える理論もあります。

その理論では、人手不足という状況を、「労働節約的な技術進歩」、つまり従来よりも少ない労働力投入量で同一の生産水準を確保するための技術向上が図られる状況にあると考えます。また、「知識・技術集約的産業分野への移行」、つまり知的生産による業務の割合が大きい産業へのスライドおよびその分野の発展が見込める状況と捉えます。

簡単にいうと、人口減少が経済成長に影響があるとしたところで、それは人間の発想で克服することができるということです。

人口減少と少子高齢化は同じ意味ですが、とにかく人口減少は諸悪の根源で絶対に解決しなければならないと考えている人は少なくありません。私は、人口減少を危機論として訴えている人の多くは、おそらく地方公共団体に所属する人々や、マスコミのコメンテーターだろうと思います。

地方公共団体にとっては、人口減少は、今まさに直面している死活問題です。地域の人口が減れば、行政の規模の最適化がなされ、行政の効率化のために市町村合併が行われることになります。これはつまり役場が統合されて、課長や係長といったポストが削減されることを意味します。

テレビなどのコメンテーターにとって、人口減少はたいへん便利なフレーズです。およそあらゆる問題について、人口減少が引き起こしていることだとしておけばそれですんでしまうようなところがあります。そして、人口減少はいわば自然の摂理ですから、誰を傷つけることもありません。

人口減少は数字で明らかなように確かに起こっていることですから、社会問題と関係づけて説明することで危機を煽り、一般人の興味を惹くことができます。しかしそれは、因果関係を科学的に証明することなどできない手前勝手な理屈であるにすぎません。

AIが国家運営をすれば、戦争がなくなる？

もしもＡＩが国家運営をすることになれば戦争はなくなります。しかしこれは、「超合理的に考えれば戦争はなくなる」という意味であって、あくまでも頭の体操でしかありません。

歴史的に見ると、戦争は少なくなってきています。アメリカの心理学者スティーブン・アーサー・ピンカーが書いた『暴力の人類史』（幾島幸子・塩原通緒訳、青土社、2015年）という本を見ると、暴力というものが確実に少なくなってきていることがわかります。他のデータを見ても同じで、戦争も少なくなってきています。理知的といっていいだろうと思いますが、合理的計算を基本として国家運営されるようになってきたということでしょう。

そうしたところにロシアのウクライナ侵攻が起きたわけです。ロシアの行為がいかに暴挙と呼ぶにふさわしいかということでもあるでしょう。

局地戦の頻度も少なくなってきているのは、相手の戦力を把握する情報力が高くなってきているからです。攻撃力も反撃力も把握できるから迂闊（うかつ）に実力行動には出られません。つまり抑止力が働いているということです。

抑止力というものの実際とその効果を理解し始めたから、各国とも軍事的な手出しはしないという世界になっているわけです。

愛と平和などといった理想主義的な話ではなく、リアリズムを追求することで戦争は少なくなってきました。やっても勝ち目がないからやらない、こうやったらこうやられてしまうからやらないというだけの話です。

すると、精度の高いデータに基づいてコンピュータが最良の結果を計算して行う、つまりＡＩが行う政治が最も無難で理想的ではないかという考え方が当然出てきます。

確かに官僚がデータを過不足なく整えてＡＩに入力して計算させれば、政治家などは必要ないかもしれません。現時点でも、かなりの部分で政治家は必要ないのが実際ですからなおさらでしょう。

政治家の仕事はＡＩにさせてしまえというのは一理あります。しかしＡＩはどこまでいっても人間がプログラムするものであるにすぎませんから、当然バイアスがかかります。公平・公正という点で完璧なものはできません。ＡＩはどこまでいっても不完全であり、何かよくわからない事象を前に参考意見を出させる仕組みとしては利用が考えられる、といった程度のものでしょう。

政治家は、今の国家運営体制が間接民主主義だから存在します。究極の民主主義として、国民一人ひとりがすべての案件に対して直接投票することができ、半分以上の賛成を取れば誰もが必ずそれに従うという仕組みができるのであれば政治家は完全に必要なくなります。

しかしこれは無理というものでしょう。システム的に直接投票できる仕組みができたとしても、案件に関するすべての情報を入手でき、案件の意味を理解できなければ投票の判断はできません。自分で判断するためにはいろいろなことを考える必要があります。仕事を抱えている最中にはそんなことをしている時間などないのが実際でしょう。

ある程度ではあっても信頼して判断をまかせられるという人を選挙で選び、自分に代わって案件を判断してもらうというのが間接民主主義であり、世界標準の政治の仕組みです。政治家に委ねた限りは、政治家がどのような判断をしたとしても仕方がないと割り切る以外にありません。

政治家が暴走する可能性は常にあります。そしてＡＩはどこまでいっても不完全であり、政治家に政治を委ねる仕組みが残ります。委ねられた政治家にはある程度の自由裁量権がありますから、戦争の可能性も常にあり続けるということになります。

第6章

行政を叩くだけでは進展なし

マイナンバーカード騒動から見えること

２０２３年に入って以降、マイナンバーカード問題なるものが世間を騒がせているようです。政府は紙の保険証を２０２４年秋にも廃止して、２０２２年10月から導入が始まったマイナンバーカードを保険証とする「マイナ保険証」に一本化する方針を立てているわけですが、それに先立ってマイナンバーカードへの誤登録や、コンビニの出力サービスで住民票を請求したら別人の住民票が出た、などのトラブルが相次いでいるというのです。

２０２３年8月8日、政府は総理官邸で「マイナンバー情報総点検本部」を開催してトラブル総点検の中間報告をまとめました。それによると、マイナ保険証に誤って他人の情報を登録していたケースが新たに１０６９件確認され、これまでの累計は８４４１件に増えたとのことでした。

先に、たとえばこの数字をどう見るかということについてお話をしておきましょう。登録ミスは約８０００件です。マイナンバーカードは約９０００万件取得されていますから、登録ミスはおよそ1万人に1人ということになります。

これを今、どうやって「点検」しているかというと、点検作業をすべて自治体に委ねています。健康保険は複雑で、各市町村などの国民健康保険や民間の全国健康保険協会、いわゆる協会けんぽなどがあって、数が多く点検作業はたいへんです。

点検対象の自主機関が10万近くあり、それを点検するためには1機関あたり3人が付いて2時間ほどの作業が必要です。人件費が時給1500円として1人あたり3000円必要です。全体で計算すると、それだけで9～10億円近くの費用がかかります。

情報というものには、「情報は国民が持ち、国民がチェックすることができる」という世界標準の大原則があります。1万人に1人という登録ミスの確率は、どのくらいの確率かというと、ちょうど宝くじで10万円が当たるぐらいの確率です。

私ならこれに準じて、国民に対し、「すべて自分でチェックして間違いがあったら申し出てください。10万円を支払います」とします。今回の総点検で誤登録が新規に約1000件見つかったということですから、点検なるものにかかる費用は1億円しかかからないことになります。

チェックはマイナポータルのウェブサイトで簡単にできることです。国民がシステムに慣れるトレーニングにもなります。

これは、1万人に1人という登録ミスなどたいしたことではないという話ではなく、起こったことには可能な限り合理的に対応すべきだという話です。

トラブルなるものを見ると、大きく4つに分類されるようです。(1)公金受取口座の誤登録や別人登録、(2)マイナポイントを誤って付与、(3)マイナ保険証の誤登録、(4)別人の証明書の発行です。

このうち、(1)、(2)、(3)は従来型の人為的ミスで、マイナンバー所有者ではない第三者が紐付け作業をして発生した人為的ミスです。紐付け作業というのは特殊なことではなく、たとえばショッピングサイトで決済のために自分のクレジットカードを登録するといったことがまさに紐付け作業です。

この種の作業におけるミスは根絶することはできませんが、作業を自動化することでかなり減らすことができます。

自分の端末を使って自分で入力できないという人ももちろんいますが、第三者の手伝いがなければ対応できないというのであれば、無理にやらせる必要はありません。従来のままでも支障のない制度設計をしておけばよいというだけの話でしょう。

地方公務員関係者から実情を聞くと、マイナンバー推進の号令の下で、地方自治体の共用端末が用意され、役人が大量動員されて各種のサポートが行われているとのことでした。

そうした状況のなかで、ログイン・ログアウトも理解していない役人や住民が今回の誤登録問題を起こしたようです。良かれと思って行ったことから生じたものでしょうが、これはやはりやりすぎ、対応過剰から生じたものです。

(1)、(2)、(3)は従来型の人為的ミスですから、起こってはいけないのはもちろんのことではあるものの、対処方法が明確にあるという点においてミスとしての重要度は低いと考えられます。

ニュースではとかく大きな数字を取り上げて騒ぎたてる傾向があります。トラブルの数だけを見れば最も大きい(1)の公金受取口座の誤登録が14万件あり、別人登録が940件あったというところが注目されます。14万件は一見膨大な数ですが、5400万件ある公金受取口座のうちの14万件で、そのパーセンテージは0・26%です。別人登録の940件は0・002%です。

問題とすべきは「(4)別人の証明書の発行」で、これはマイナンバー所有者には何の落ち度もありません。システムに負荷がかかったときに、エラーが出ずに前の情報で処理してしまったというのが真相のようですが、これについてはシステム会社が責任を負うべきミスです。

自分のデータが使われたときには通知を受けるなどして使われたことを知る権利がある、といった常識を徹底して、ミスを前提として、その先の大きなミスを防ぐ対策がとられる必要はあるでしょう。

いずれにせよ、新しい制度に移行するときに起こる一時的なミスは付きものです。それを恐れて、その一時的なミスを回避するために新しい制度に移行しない場合には永続的なデメリットが待っています。

たとえば、新型コロナ禍の際には、他国では即座に行うことのできた給付金の口座振込が、日本では時間的にも手続き的にも手間のかかるものとなりました。

紙の保険証を廃止して、マイナンバーカード一本化により保険証とカードを一体化した「マイナ保険証」に移行する大きな目的のひとつには、現行の保険証には顔写真もなく本人確認ができないために問題化している「他人のなりすましや不正利用を排除する」ということがあります。

実際、今までの保険証では本人確認のミスが年間約500万件あり、その処理コストに1000億円ほどかかっているという厚労省のデータもあります。2023年4月にはいくつかの携帯電話会社が携帯電話の悪用を避けるため、本人確認のための書類として健康保険証は認めないことにしたという報道がありました。

言い方を変えると、マイナ保険証に反対している人たちは、従来の健康保険証の不完全さを利用して利益を得ていた人たち、および、そういった人たちを票田としている政治家であると言うこともできるでしょう。

マイナンバーカードは、リアルの身分証であり、かつネット上での身分証です。ネット上で身分証代わりに使えるということは、選挙でのネット投票も可能だということであり、技術的には十分できる状況にありますから、その構築についてはしっかり進めていくべきでしょう。

マイナンバーカードの登録関係のトラブルが盛んに報道されるなか、マイナンバーカードの自主返納ということも話題になりました。制度に不安がある、メリット・デメリットの説明が足りない、個人情報が筒抜けになるのではないかといった理由が上がっていますが、カードを返納したところでカードそのものに個人情報が記録されているわけではなく、マイナンバー制度自体はあり続けて個人情報はそのまま管理されますから、返納は勘違いとしかいいようのない行動です。

情報漏洩への不安の声がありますが、自分の情報は確認できても他人の情報を取得するのは制度上かなりの手続きが必要です。当然、個人の病歴まで辿り着くのはきわめて困難なことです。紙の保険証については偽造するのは簡単ですが、マイナンバーカードでは保険証の番号すらわからないようにしてあります。

また、返納することのデメリットとして、政府の情報をチェックするのがたいへんになるということが挙げられます。

マイナンバーカードがあれば、ある程度の政府情報は専用サイトのマイナポータルから見ることができますが、返納するとそれができなくなります。マイナンバーカードの返納は、意味がないのと同時に、享受すべき利便性を失うという大きなデメリットを負ってしまう行為であるといえるでしょう。

「官僚が悪い」という思考停止に注意

国会議員は法案をつくり、つまり「立法」して予算審議するのが仕事です。国会で法律と予算が決まると、それを実際に運用することになります。

たとえばマイナンバーカードのシステムをつくって国民にカードを取得させるというよ

うなことです。これを「行政」と言い、行政を行う権利が「行政権」、そして行政権を行使するのが「内閣」です。行政とは「政策を実現させる」ことをいいます。

国会で立法と予算審議が行われるのは政策を実現するためです。政策とは「政府の活動」のことです。

定められた法律を執行するのが政府の仕事です。政府の活動には経費がかかりますから、そのために国会では立法とともに予算審議が行われます。

行政は国民の生活すべてに関わります。社会にはいろいろな側面がありますから、行政機関も分野ごとに分かれています。

たとえば教育に関しては文部科学省、健康に関しては厚生労働省、農業などの第一次産業に関わることであれば農林水産省、経済発展やエネルギーに関することは経済産業省、という具合に行政は分担されています。

内閣は、これらの省庁をそれぞれに統括している国務大臣の集合体です。だから国務大臣は「閣僚」とも呼ばれます。内閣を取りまとめるのが内閣総理大臣です。

「政府は」とか「国は」とかといった言い方がよくされますが、本質的にこれは「内閣」のことです。ただ、内閣は閣僚の集合体を指すだけですが、政府や国といった場合には、省庁も含めて言っていることが多いものです。

国と企業は同じです。内閣総理大臣は「社長」であり、閣僚は「各部署の部長」です。そして閣僚の下で働く各省庁の官僚は「社員」です。官僚とは基本的には国家公務員試験に合格して中央官庁に採用された国家公務員全般を指しますが、特に中央官庁の課室長級以上の管理職員を指すことが多いものです。

官僚は閣僚の右腕的存在として、上意下達、つまり上層の命令を徹底させるかたちで省庁のスタッフを動かします。課長クラスの社員といったところでしょう。

官僚の権限も当然のことながら法律に縛られています。財務省の官僚が携わるのは財務省の行政に関することに限られ、たとえば文化振興といった文部科学省の管轄である法案の作成に関わることはできません。

よく「官僚」という言葉が権力の横暴といったイメージをかぶせられて使われることがありますが、官僚は決められたルールに従って仕事をこなしているだけです。どの企業にも経理の専門家や法務の専門家がいますが、官僚はそれと同じ専門的な事務方です。

閣僚の下で働く官僚は政府の一員です。ということは管理用の権限は、憲法とそれに基づいて成立している各法律によって明確に定められています。

新型コロナウイルス対策が開始された2020年の春頃、日本の水際対策が甘すぎるという批判の声が盛んに上がったことがありました。世界各国で国境封鎖や地域ロックダウンの対応がとられているなか、日本も出入国の一切を禁止して、一時的にでも鎖国状態とすべきだというのです。しかし日本は、憲法に非常事態条項が書かれていないたいへん珍しい国です。憲法上の規定がない以上、世界各国が速やかに行ったような個人の行動制限、あるいはロックダウンと呼ばれる都市封鎖はできません。

また、憲法に非常事態条項が書かれていないので非常事態宣言ができず、「緊急事態」という言葉を使い、命令ではなく「要請」という言葉を使ってなんとか行政をやりくりしました。強制的な罰則付きで行動制限ができないために、出入国管理も甘くならざるをえなかったわけです。

新型コロナ禍当初に速やかに鎖国できなかったのは官僚の怠慢だとか業界に対する忖度(そんたく)だとかという声も一部に聞かれましたが、それは妥当ではありません。有事対応の憲法改正ができていないところにその根本の原因はあります。行政の不具合をなんでもかんでも官僚ないし役人のせいとするのは思考停止であり建設的なことではありません。

本来、政治家の仕事は〝立法〟である

官僚は、内閣総理大臣を社長として閣僚を部長とする政府という企業の社員であるとはいっても、「現政府は財務省のいいなりだ」などという批判の声が上がったりします。財務省に都合の悪い、つまり財務官僚の出世と保身に都合の悪い減税などの政策は実現しにくい、ということは確かにあります。ではなぜ、こういう状況が存在するのでしょうか。

ポイントは政治家と官僚の関係です。日本の国家運営は三権分立の体制をとっています。先進国のほとんどは同様の体制です。

立法府、行政府、司法府に分かれますが、「司法府は広い意味で官僚組織であり、立法府と行政府の関係がすなわち、政治家と官僚との関係です。

三権分立の原則としてどれがどれに対して有利ということはありませんが、日本においては憲法第41条に「国会は、国権の最高機関であって」と書いてあり、その限りにおいては立法府が行政府の上にあります。

立法府は選挙で選ばれた人たちで構成されます。官僚はそこに従う人のことをいい、行

政権を行使するために働く人たちです。

立法府の仕事は、法律をつくることです。政治家として何の問題もないと評価され、また尊敬される条件は法律をつくることができるということです。

一流の政治家とはちゃんと立法してきた人のことをいいます。たとえば、第64・65代の総理大臣を務めた田中角栄氏はその典型でした。田中角栄氏は数多くの法律を自分で書き、類のない政治力を使って政策を実施しました。

問題はここです。立法府である国会あるいは地方議会の議員であるもかかわらず、法律を書くことができない政治家が数多く存在するというところに問題があります。

憲法に「国会は、国権の最高機関であって」と書いてはありますが、通常は事実上、行政府である内閣の方が優位に立ちます。なぜなら立法される法律の8割以上が「閣法」と呼ばれる内閣案出・提出の法律だからです。議員が発議する法律を議員立法といいますが、こちらは2割程度です。

法律が書ける政治家が少ないということなら、内閣が提出する法案ないしそのドラフトは誰が書いているのかという疑問が生まれます。

それを書いているのは官僚です。たとえば財務省の官僚は東大法学部出身者の多いことでよく知られていますが、政治家よりも官僚の方が、立法能力があるということです。法案を作成する現場では、能力の点で官僚の方が政治家の上に立ってしまいます。

官僚は自分の立法能力を政治家にアピールします。政治家は立法能力があると同時に行政の実際もよく知っている官僚を大いに頼りにします。これが、政治家が官僚の手玉に取られるということの実際です。

政治家が法律を書けるのであればこのような状況にはなりません。立法すれば、どんな法律であっても官僚はそれに従わざるをえません。

つまり、立法能力のある政治家であれば官僚を頼りにする必要はありませんから、官僚の思惑に屈することもないのです。

官僚にとって最も恐ろしいのは、国会議員が立法能力の高い集団を組織することです。官僚は行政府の人間ですから議員立法には手を出せません。

今のところは8割以上が閣法ですから、官僚が自らに都合の良い法案ドラフトを書くことができるチャンスが多いというだけの話です。議員立法に優れた法案が多くなって取り扱われる数が増え、いずれ内閣提出の法案がなくなってしまうようなことになれば、裏の権力者などと言われてきたような官僚のパワーは終息します。

地方分権の基本的原則「ニアー・イズ・ベター」

地方分権の基本的な考え方として、「ニアー・イズ・ベター」という原則があります。国民の身の回りのことは国民に身近な行政機関、つまり地方自治体が行った方がいいという意味です。

身の回りのことというのはたとえばゴミ収集や上下水道管理、医療や福祉サービス、教育といったことです。これら行政の根拠はもちろん法律にありますが、法の運用つまり行政サービスを提供する役割は地方自治体が担います。

外交など国のことは国で、地方のことは地方で、というように役割を補完することを「補完性原理」といいます。決定や運用などはできるかぎり小さい単位で行って、できないことのみをより大きな単位が補完していくという考え方です。問題はより身近なところで解決されなければならないという言い方もされます。

2000年に施行された地方分権一括法で、従来よりも国が自治体の事務に対して関与する度合いが減り、自治体による法律の解釈権や条例の制定権は大きく拡大したと言われています。2023年は逮捕者が出るなど地方議員の不祥事が目立って報道された年でしたが、地方議会というものは民主主義においてたいへん重要な意義と、一般的に考えられている以上に強い権力を持っている機関です。

民主主義の本来は、住民の義務をどう取り決めるかということであり、その具体的意味は税金をどれくらい集め、どのように使うかを決める、ということに尽きます。つまり、地方自治の本旨は、税金というものをそれぞれの地方の手で地方の事情によって決めるということにあるということです。

自分のところの税金は自分で決めるというのが地方議会の意義の本質です。地方の住民税を地方で決めるのは当たり前のことです。

地方の住民税は何のために集められるかというと、その地方の警察の業務や消防署の業務、清掃局の業務など、基本的な行政サービスを行うために集められます。

自分たちの身の回りの話を自分たちで決めないのであればいったい誰が決めるのか、という話です。これは「補完性原理」に基づく常識です。

よその国が決めるのはおかしいと考えるのが普通で、アメリカ合衆国建国の契機となったアメリカ独立戦争（１７７５〜１７８３年）は、アメリカに住む自分たちの税金をイギリス本国が決めているのはおかしい、ということから起こった戦争です。アメリカは、税金は自分たちで決める、と当たり前のことを言っただけであり、この当たり前のことが民主主義ということです。

日本の場合、アメリカのような歴史がないので、税金は全国どこでも一緒になっています。住民税をはじめ地方税の基準を総務省が法律で決めているからです。

しかし、総務省が決めているのはあくまでも標準であって、この数字は上下してかまいません。総務省ウェブサイトの地方税の概要を説明しているページには、「実際の課税では、これらの基準を踏まえ都道府県や市町村が自らの判断で税率を定め、納めるべき額を決定しています」とちゃんと書いてあります。

税率は地方自治体で決めることができるというのは、民主主義の基本であると同時に地方自治の基本なのですが、一般の住民はほとんどこういったことを知りません。なぜかといえば、地方議員が税金に関する議論を議会で行っていない、つまり、ちゃんと仕事をしていないからです。

地方に新しい税金をつくってしまってもかまいません。京都のホテル宿泊税などが時に全国的な話題になることがありますが、全国レベルでとやかくいう話ではありません。たとえば京都なら京都の事情で税金を設定すればいいだけの話です。

民主主義国家における議会は、国、地方を問わず、税金について議論するために維持されているのが普通です。税金に関する議論がなされないのであれば、何をやっているのかわからないということになりますが、まさに何をやっているのかわからないのが日本の地方議会の実情です。

イギリスは民主主義国家ですが、意外に中央集権的です。イギリス人は、真剣に代表を選び、その代表が物事を決める、というところに意義を見出しているという人たちですから、税金のほとんどは中央政府が決めます。イギリスに地方税はほとんどありません。したがって、地方議会における税金の議論は必要ないので地方議員はほとんどいません。地方政府はあるにせよ、必要がないから地方議会はなく、地方議員もいないのです。議会は税金の議論のためにあるということがよくわかります。このイギリスのあり方こそが民主主義だと言われる場合もあります。

イギリスに言わせれば「日本の地方議会は、無駄事だから解散しなさい」ということになるでしょう。

意味がない、「年金が破綻する・しない」議論

国民年金の保険者は厚生労働省、つまり政府です。国民年金の適用、年金保険料の徴収、年金給付の裁定、実際の給付などの事務の権限は2010年に発足した非公務員型の特殊法人・日本年金機構に委任および委託されていますが、政府は国民年金事業の財政責任と管理責任を負っています。

つまり、国民年金が財政的に破綻するとかしないとかといった話は政府つまり行政府の問題に属します。テレビや新聞などでは、少子高齢化で財源が逼迫(ひっぱく)する、制度的に破綻する運命にあるのではないかなどとよく騒がれます。

現在はFacebookの財務省オフィシャルアカウントにアーカイブされているだけのようですが、財務省はこれまで、次のようにアナウンスしている動画を盛んに配信していました。

2014年において、日本の総人口は1億2708万人。

そのうち65歳以上の方は3300万人。

65歳以上の方1人を20歳から64歳の方2・2人が支えていることになります。

２０１２年以降、団塊の世代が65歳となり、基礎年金の受給が始まることなどから、社会保障給付金は増大することが見込まれています。

さらに２０２５年には、65歳以上の方の人口は３６５７万人に。

65歳以上の方1人を20歳から64歳の方1・8人が支えることになると推計されています。


少子高齢化が進めば、当然のことですが、人口構造は逆ピラミッド型に近づいていくことになります。人数的割合を単純に見ていくだけのことであれば、近い将来には、財務省が右記で示しているように「高齢者を現役世代1・8人が支える」という社会になっていくのでしょう。

しかし、これは財務省が得意とする数字のトリックです。ほとんど取るに足りない話であるといえるでしょう。年金制度は人の数ではなくお金の話です。

ポイントは、「支える」とはどういうことを意味しているのかということです。

「高齢者1人を現役1・8人が支える」とは、「高齢者1人分の年金を現役世代1・8人分の所得で支払う」という意味です。つまり、実際に高齢者1人を支えるのは、現役世代

1・8人の「人間」ではありません。現役世代1・8人分の「経済力」です。

つまり、現役世代1・8人に、「高齢者1人」の年金を払っても困らないくらいの所得があればそれですんでしまう話です。問題になるのは人の数ではなく、あくまでも個々の所得なのです。

これは、とにもかくにも「経済成長は必要である」ということの、ひとつの理由でもあります。失業者を極限まで減らして結果的に実質賃金が上がるように経済成長率を上げ続けることが年金制度を維持する上でも重要なテーマであると同時に、行政府たる政府の最たる使命です。

足を引っ張るような政策が打たれるようなことがなければ、経済成長を続ける限りは今の実質賃金よりも次世代の実質賃金の方が多くなるはずです。話は人数ではなくお金の問題なのですから、「高齢者1人を現役1・8人が支える」ということも十分に可能です。心配する必要はない、といえるでしょう。

また、財務省が右記のようにアナウンスしているということは、行政府においてすでに、少子高齢化がどのように進むか予測された上でさまざまなことが試算されているであろうことを意味しています。

年金は保険です。保険業務に関する数学的な計算や理論のことを「保険数理」といいますが、この保険数理もまた少子高齢化を折り込んだ上で計算作業が進んでいるはずです。つまりこれは、手段を講じるために必要なデータは揃っているということを意味します。

行政サービスを受ける側としては、行政府が講じてくる対応策、具体的に言うとたとえば給付年齢の引き上げや給付額の変更などがあったときに、それが自分たちの生活状況にマッチするかしないか、マッチしないのであればどうするか、それを判断するための自分の数字をしっかり用意しておくということが必要になるでしょう。

また、「本当に私は年金をもらえるのか」というところで危惧している人も少なくないようです。制度として破綻するのではないかということで、テレビのワイドショーなどでもたびたび話題に上ります。

結論を先に言っておきますが、人口が減少しようが高齢化が進もうが年金はめったなことでは破綻しません。

年金は、「きちんと制度運用をしていれば大丈夫」な制度です。現状の制度がきちんと運用されていれば、「破綻する」などと騒いだり悲観したりする必要はありません。

日本の年金制度の現状はどうなっているかというと、「現役の人の負担をなるべく抑え、それに応じて将来の給付もそこそこに抑える」という仕組みになっています。そしてこれは一番安定する方法です。

年金制度は、どれだけ多くもらえるかといったことよりも、「制度として安定している」ことが重要なのです。制度的に安定していれば年金は確実にもらえます。

年金制度が安定するかどうかは、負担する人数・受け取る人数といった「人数」の問題ではありません。「金額」の問題です。

お金の問題である限りは、年金制度の安定性については、そのバランスシートで考える必要があります。そしてまた、バランスシートを見れば、年金制度とはどういうものかということもわかってきます。

国民から徴収する保険料は「資産」です。これはバランスシートの左側に書かれます。給付しなければならない年金は「負債」です。したがってバランスシートの右側に書かれます。

日本の公的年金は「賦課方式」です。年金支給のために必要な財源は、その時々の保険料収入から用意されるという方式です。

これは、「積立方式」ではないということです。年金は、将来自分が年金を受給するときに必要となる財源を現役時代の間に積み立てておいて、それをもって支給されるわけではありません。

つまり、年金のバランスシートを作成する際には、資産においても負債においても、過去から遠い先の将来まですべてを含めてバランスシートとする必要があり、そのバランスシートを見て判断しなければいけないということになります。

政府は永遠に保険料を徴収できます。したがって「資産」は無限大になります。

政府は永遠に年金を給付し続けます。したがって「負債」も無限大になります。

ここで、一般的には疑問が起こるはずです。無限大になるものをどうやって計算するというのでしょう。

実はこれは計算可能です。将来の「資産」と「負債」は、割引率を使って計算した「現在価値」というものに直して計算可能な額にすることができるのです。

政府は年金のバランスシートを試算しています。2019年8月に公表された財政検証関連資料から、年金のバランスシートを見てみることにします。

想定される物価上昇率、賃金上昇率、運用利回りのデータ別にそれぞれ運用利回りによる一時金換算、賃金上昇率による一時金換算のバランスシートが全部で6種類試算されて

図表⑧　公的年金の財源と給付の内訳（バランスシート）

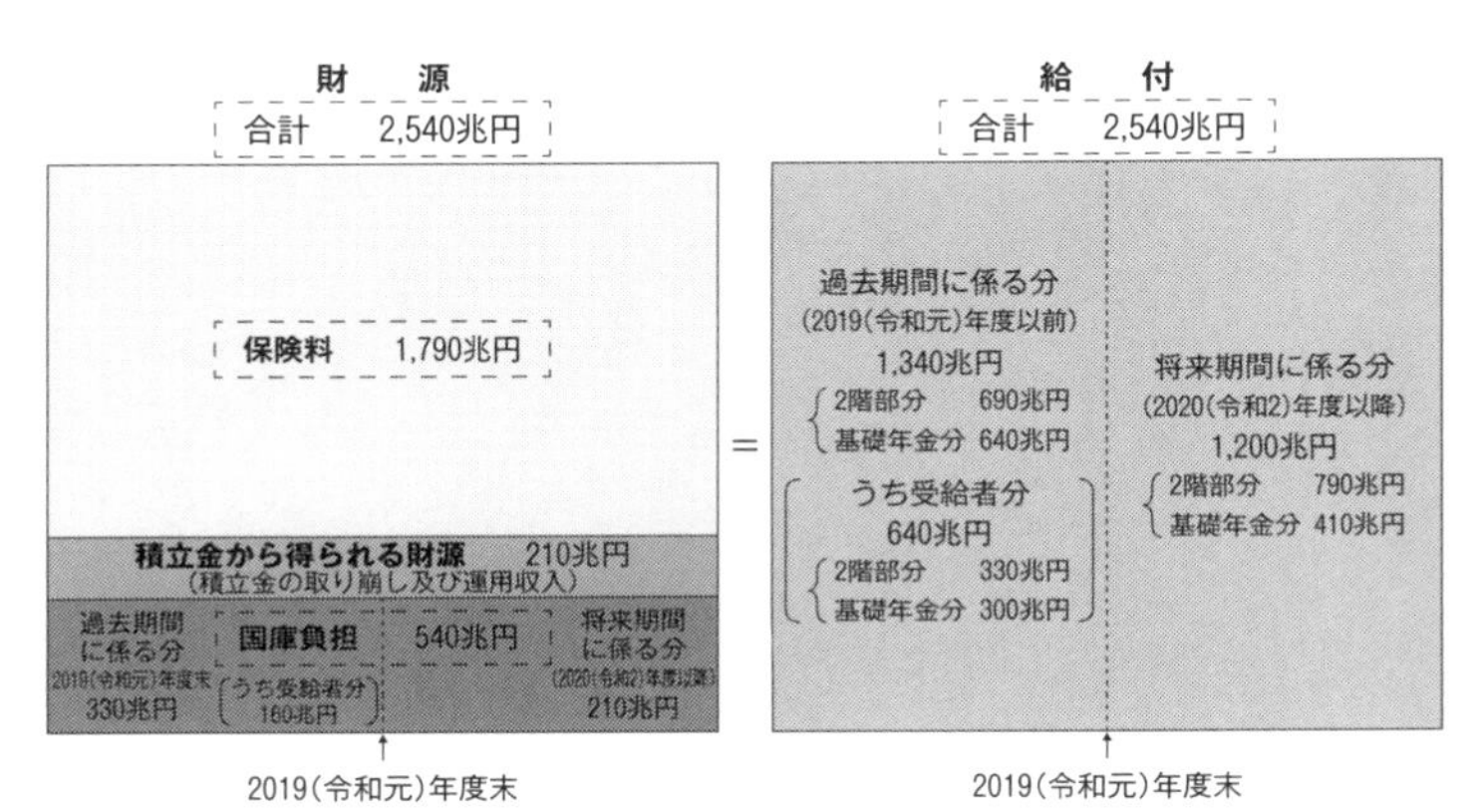

〈資料：厚生労働省ウェブサイト2019（令和元年）〉

いるのですが、そのなかから、物価上昇率２・０％、賃金上昇率１・６％、運用利回り１・４％を想定した場合の、運用利回りによる一時金換算のバランスシートをサンプルとして見てみることにします（図表⑧）。

「負債」である年金給付債務は２５４０兆円です。支払わなければいけない年金額すべての現在価値ということです。

「資産」である、徴収できる保険料総額の現在価値は１７９０兆円です。他に国庫負担金５４０兆円、積立金２１０兆円が計上されています。

年金が積立方式であるなら、「年金給付債務　２５４０兆円」はすべて積み立てられていなければならず、バランスシートには積立金として計上されていなければなりません。しかし、実際には積立金は負債の一割にも満たない210兆円です。日本の年金が積立方式ではなく、賦課方式で実施されている制度だということはバランスシートからも明らかなことです。

賦課方式は、制度がずっと続くことを前提とします。そして、「負債」と「資産」は必ず一致するように計算されますから、「年金制度に債務超過は発生しない」ということになります。

ところが、「日本の年金は積立不足だから破綻する」と指摘する人がいます。しかし、この指摘は、「バランスシートを途中の単年で区切って見てしまう」ことから起こる誤謬（ごびゅう）にすぎません。

未来永劫（みらいえいごう）合わせた年金資産と年金負債でつくられたバランスシートは《「保険料」＝「給付額」》という式によって、「資産」と「負債」は必ず一致することになります。

しかし、これをどこかの時点で区切ると「負債」の方が大きくなってしまいます。

なぜかというと、保険料を払わずに給付を受けた人々が存在するからです。これは年金がスタートした時点の社会的・政治的事情によるものです。

国民皆年金は昭和36（1961）年に始まりました。この時点ですでに高齢者となっている人がたくさんいたわけです。

仮に積立方式でスタートしたとしましょう。スタート時点で20歳の人は60歳まで40年間積み立てて60歳以降は自らの積立分をもらうことになりますから問題はありません。40歳の人も20年間くらいは積み立てることができるでしょう。つまり、スタート時点で40歳の人も、受け取る額は少なくなるかもしれませんが、特に問題はないといえます。

しかし、スタート時点で60歳以上の人はすでにリタイアしていますから積み立てることはできません。とはいうものの、「積み立てていないからもらえませんよ」とは、国民が票を投じる選挙によってすべてが成り立っている、いってしまえば人気が肝心である政治家にはまず言えないことです。

あらゆる面で、国民皆年金を積立方式でスタートすることは難しかったのです。賦課方式は「年金支給のために必要な財源は、その時々の保険料収入から用意される」という方式です。日本の年金制度は、現役世代の保険料を老齢世代の給付にあてる賦課方式にせざるをえませんでした。

最初のうちは、保険料を1円も納めていない人にも給付します。したがって単年でバランスシートをつくって見た場合は必ず赤字になります。単年でバランスシートを読んでしまう場合には、その分は税金などで補填する以外にはないということになります。

ところが、この制度を長く続けていくと「納めていないのに年金を受け取る人」が減っていくことになります。赤字が減っていき、バランスしていくということです。

どこか途中で単年のバランスシートを切り取って読んでしまうと債務超過になるのは、「保険料を納めずに受け取っていた」人の分が存在するからです。これは、最終的には必ずバランスして不足はなくなります。

日本は人口が多い国であり、年金の加入数も膨大です。スタートしたのは1961年であり、保険料を払わずに年金を受け取った人も相当数いますから、その給付額はかなりの額になります。したがって、バランスシートを途中で区切って読んでしまうのはフェアなことではありませんし、事実の把握にもなりません。


ともあれ年金破綻論を主張する人たちは、右記の実情を知らないまま主張しているか、あるいは都合の悪いところをあえて無視してミスリーディングしているといえるでしょう。

日本の公的年金制度は、制度として成熟するにつれて保険料と給付額が一致していき、不足分が解消されていくという仕組みになっています。したがって、単年で見たときに不足額が大きいからといって不安に思う必要はありません。

不足額が増えている場合には問題ですが、少しずつでも不足額が減っているのであれば問題ありません。これは時間が解決します。

ここでは額の問題ではなく、「不足額が増えているのか減っているのか」ということのみが重要なのです。

年金に関して議論するとすれば、議論のポイントは、年金は破綻するのかしないのかではなく、「不足額を減らすスピードを上げるのか下げるのか」という制度改正でしかありません。保険給付額を低くしたり保険料率を上げたりすれば不足額が減っていくスピードは上がります。

これは日頃の生活のなかのお金の収支に大きく関わることでもあります。制度改正という各論で、それに賛成か反対かという議論であれば意味はあります。

公的年金は「ミニマム」つまり最低限の保障です。そして、よく言われる「年金がこんな額ではやっていけない」などといった個人的な事情は年金制度には関係ありません。負担に応じて給付額が決まるだけの話です。

年金制度は、負担額の低さと給付額の低さのバランスがとれていることが重要なのです。このバランスがとれていれば、日本の年金制度はそう簡単に破綻するものではありません。

第7章

真実を見抜くための、ニュースの見方

「0点か100点か」でしか報道できない、マスコミの罪

2023年8月時点での日本の失業率は2・7%、求職者一人あたり何件の求人があるかを示す有効求人倍率は1・29倍、株価においては9月時点で値下がり傾向にあったものの同月中旬には一時3万3634円をつけるなどの経済の好調は間違いなく、二度の消費税増税と新型コロナ禍の影響を経た後に現れてきた第2次安倍政権の経済政策、通称「アベノミクス」の今に続いている効果です。

2008年の自民党麻生太郎政権時代に瞬間で6994円90銭の日経平均史上最安値を記録し、2009年から2012年までの民主党政権下で概ね9000円台を推移するに留まっていた株価は第2次安倍政権で持ち直して、政権下の最高値としては2018年10月に2万4720円を記録しました。

1994年まで2%台にあった失業率はその後20年間以上、3%台、4%台、5%台（戦後最悪）を行き来するまでに悪化していましたが、2017年には2%台に回復しました。

有効求人倍率は、2012年に0・8倍だったものが2019年には1・6倍へと倍増しています。有効求人倍率の統計公表は1963年から始まっていますが、全都道府県に

おいて有効求人倍率が1倍を超えた、つまり何かしらの仕事に必ず就けるという状態となったのは統計を取り始めて以来初めてのことです。

アベノミクスが展開されていた当時、新聞や雑誌、テレビのワイドショーなどで、「アベノミクスを採点する」という特集が盛んに組まれたことがあります。アベノミクスは0点でアホノミクスだなどと言っている評論家もいました。

マスコミは「0点なのか、100点なのか」という極端な意見にしか興味がない、というよりもそういう考え方でしか理解できないのです。基礎的な知識と批判力・分析力が欠けているので、数量的に物事を考えて常識的な判断をすることができません。アベノミクスの件に限らず、すべては感情論になって、バッシングを手助けする、あるいはさらに煽り立てるだけのことになります。

アベノミクスを採点するのであれば、「マクロ経済で重要なこととは何か」というところから始める必要があります。

マクロ経済で重要なのはまず「雇用」です。「雇用」を生み出し、「給料」が上がればさらに良いという点を見ることが「マクロ経済を見る」ということです。

したがって経済政策を評価するとき、私は「雇用」に6割のウェイトを持たせます。6

割というのは100点満点採点の場合の60点ということで、最低の合格ラインということです。後の4割が「給料」です。給料は所得と同じ意味です。

「雇用」の評価は何で見るのかというと、失業率で見ます。失業率が下がれば評価は高くなるわけですが、問題はどれくらい下げたかということです。前政権の時代の失業率は4・1%で、これをどこまで下げれば100点満点になるのかということを考えなければいけません。

「0%まで失業率を下げろ」というのはできない相談です。失業率には下限、つまりこれ以上は下がらないという水準があります。社会学時な見地を含み、その算出はけっこう難しいのですが、私が推計した数字によれば、日本においては2・5%から下にはなかなか下がりにくいということができます。

したがって、「雇用」における100点満点は失業率2・5%の達成ということになります。アベノミクス自体の採点ということであれば、前政権の4・1%から理想値2・5%までの間にある1・6%の幅の動きを見なければいけません。

1・6%の幅のなかでどれくらい動いたかがアベノミクスに対する正しい評価です。こういう発想が、マスコミに代表されるいわゆる「数字が読めない人たち」にはできません。

２０１８年2月に失業率は2・5％に下がりました。１・６％の幅をクリアしたということです。つまり「雇用」においてアベノミクスは１００点をつけられるということになります。

ただし、「雇用」のウェイトは6割ですから、全体としては60点で、あとは「給料」をどう見るかということになります。

給料つまり所得は、もちろん高い方がいいわけです。安倍政権は消費税を２０１４年４月に5％から8％に引き上げ、２０１９年に8％から10％に引き上げました。消費増税は給料の水準を一時的に落とします。

失業率の回復から見て、可能性として最も高く上がったであろう給料を１００点とすれば、消費増税がそのスピードを半減させる邪魔をしたと見ることができ、基礎賃金が上がりだしたという意味で50点ほどの採点となります。

給料の採点は50点ですが、給料のウェイトは全体の４割ですから点数としては20点です。「雇用」の60点と「給料」の20点を足した80点が、私の採点ということになります。大学の、Aは85点以上、Bは75点以上、Cが60点以上、あとはDというABCD評価で言えばアベノミクスはB評価です。

アベノミクスは0点だという意見をマスコミ上でよく見かけたものです。2023年の9月に日銀が金融緩和続行を決定してアベノミクスの継承を明らかにしたこともあって、その関係から今もまだそういった意見を見かけますが、ほとんどの場合、何をもって0点と言っているのかわからずに話をしています。

上がったり下がったりの要素については並べることはできていても、何をウェイトとするのかがわかっていません。分析と批判に必要な基礎的な知識と能力に欠けているからです。

たとえば安倍政権当時、デフレ脱却という観点から、「物価についてはインフレ目標を立てているのに達成できていないからダメだ」というコメントがよく聞かれました。良いかダメか、つまり0点か100点かという議論には意味がありません。インフレ目標の2%は確かに達成しませんでしたが、達成しなければ0点でダメであるというのは建設的ではありません。役に立たない意見だということです。

安倍政権スタート時のインフレ率はマイナス1%で、2018年の時点で1%になりました。確かに目標の2%は達成していませんでした。

マイナス1%から目標の2%の間には3%の開きがあります。1%になったのであれば、目標の3分の2をクリアしたということになります。したがって、インフレ率についてアベノミクスはだいたい60点と採点することができます。

60点は大学で言えばCの合格ラインです。60点が100点ではないのは当たり前ですが、100点でなければダメだと言うのであれば、世の中のたいがいのことは「ダメ」ということになります。

実はこの、100点ではないけれども落第点ではないというのが「数字で見る、読む、考える」ということです。数字を見て、普通に、つまり常識的に評価するということです。これは、物事を単純に考えるということでもあります。しかし、そこから導き出される結論は決して単純なものではありません。「落第点ではない」という部分が建設的な議論になるのです。

0か100かは結論として単純すぎます。物事を数字で読むことができない人ほど結論が単純で感情的なものになります。テレビや新聞のニュースはこの手の人たちの意見やコメントに溢れているということは知っておいた方がよいでしょう。

科学や経済学を知らない文系マスコミ

テレビや新聞など、いわゆるマスコミの業界は、大学の文系学部出身者が多く、科学を苦手とする人が目立って多い業界です。理系出身者が入ってくると、文系出身者たちの無知さ加減が露呈してしまうのを恐れてか、科学記者といった狭い分野に押し込められてしまうと聞きます。

文系の、特に左派政党を支持する人たちは、そのイデオロギーのために思い込みの強い人が多いものです。「資本家と労働者の利害は常に対立する」というマルクス経済学のイデオロギーから抜け出せず、「株価が上がると資本家が儲かり労働者が損をする」と信じ込んでいたりするわけですが、こんな見方をしていれば、現実の経済については絶対に理解などできません。しかし、実はこうした人たちがマスコミを牛耳っているのが実際で、ニュースや時事解説はこうした人たちによって発信されています。

理系に代表される、物事をロジカルに考える人たちにとってはイデオロギーなど邪魔なものでしかありません。イデオロギーありきの場合、先に答えがきてしまい、ロジックがすべて抜け落ちてしまうからです。

まずはイデオロギーで考えてしまう文系のマスコミ人には、ロジカルな世界である科学や経済が理解できません。そうした人たちがよかれと思って選んだコメンテーターがテレビや新聞などで話をしているわけですから、マスコミが発信する情報を信用しろと言われても難しいでしょう。

たとえば、「経済成長などしなくていい。環境問題や心の問題を重視した政策を」という意見が、そうしたコメンテーターから判で押したように聞かれます。「ではあなたは、失業率が上がった方が世の中のためになると考えているわけですね」と反論すると、たいていの場合、ポカンとして何の意見も返ってきません。経済のそもそもがわかっていないからです。

「現代に見られるような経済成長が始まったのはたかだかここ200年ほどの歴史である。経済成長の鈍化はむしろ経済の正常化だ」という意見もよく聞きます。「経済成長よりも大切なことがある、日本はゼロ成長でいいではないか」という何かしらロマンチックに聞こえる意見は、特にテレビのワイドショーでウケがいいようです。

これらの意見は、「どんどん上がれ、失業率！」と言っているのと同義です。経済政策においては、マクロ経済学の理論に基づき、「失業率を極限まで低くすること」が最優先されます。「食えない人」を最小限にまで減らすということが国民に対する国家政府の責任であるということです。

そのためには経済成長が必要です。これは、アメリカの経済学者アーサー・オークン（1928〜1980年）が1962年に発表した「オークンの法則」に基づきます。「経済成長率と失業率の間には負の相関関係がある」という法則です（次ページの図表⑨）。

経済が成長すれば、つまり景気が良くなれば雇用も増えて失業率も下がるだろうというのはなんとなく予想のつくことです。「なんとなく」というのを法則化したのがオークンでした。

オークンは経済成長率と失業率を単純に並べるのではなく、失業率の前年との差を出してから分析するという方法を採りました。「差」に注目するのは統計学の一手法で、より純化された数値で現象を捉えるということです。各国のデータを集めて、それぞれの経済成長率と失業率の前年との差の相関関係を調査したところ、多くの国で経済成長率と失業率の間に負の相関関係が見られました。

経済成長をせずに失業率を減らすことはほぼ不可能です。経済成長つまり豊かさの現象は失業者の増加を意味します。2020年は失業率が7カ月連続で悪化して、同年8月に

図表⑨　オークンの法則

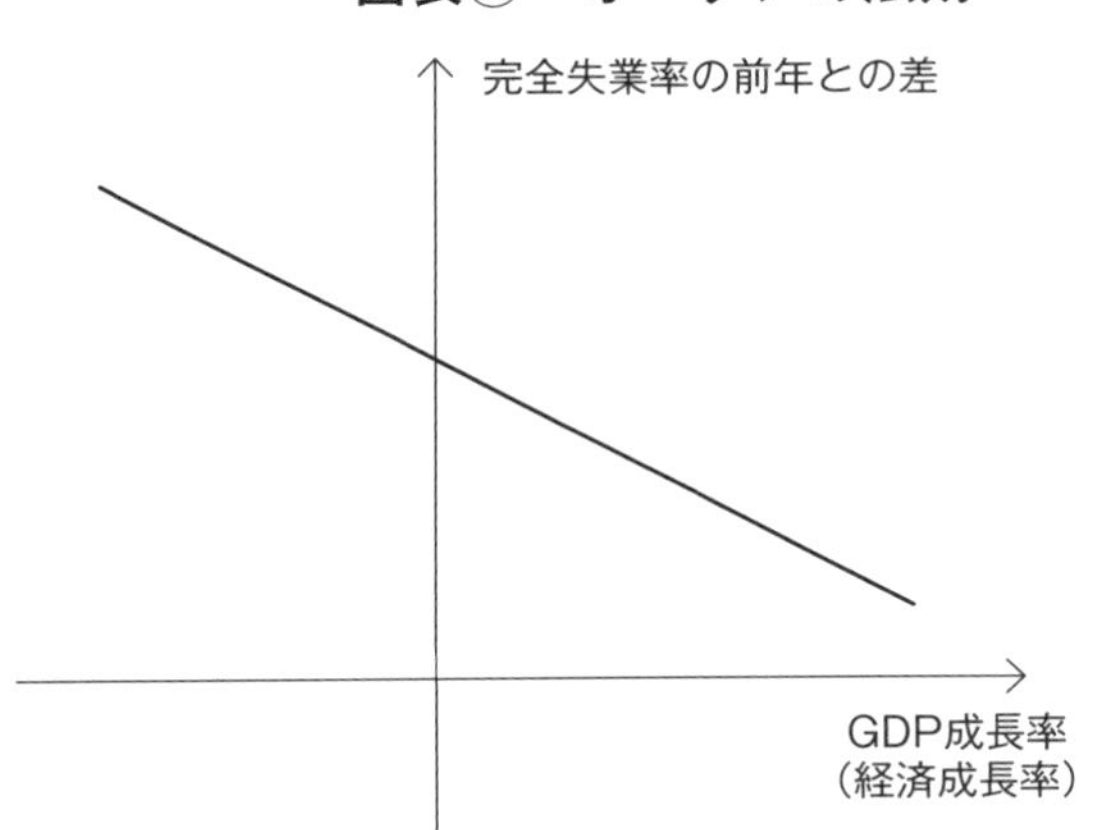

３％台に上ったことがありました。同年は自殺者が増加傾向にあり、４カ月連続で増加して10月は前年同月よりも約６００人多い２１５８人となったという事実もあります。

経済成長不要論は環境問題や公害問題とセットにしてよく語られます。環境問題は確かに世界的に共通して取り組むべきひとつの課題であることは間違いないでしょう。

けれども、そのために経済成長を止める、というのは暴論です。経済成長がなくなるというのは「仕事がなくなる」ということです。国家運営そのものが成り立たなくなります。環境問題どころではなくなるということです。

２００３年生まれのスウェーデン人環境活動家グレタ・トゥーンベリ氏が２０２３年６

月にウクライナのキーウへ行ってゼレンスキー大統領と面会し、「人道的な災害と環境破壊のつながりを明らかにし、その責任を問いたい」とロシアを非難したという報道がありました。

グレタ氏は2020年1月にスイスのダボスで行われた世界経済フォーラムの年次会で「環境と経済成長の両立を主張する先進国の環境対策は間違っている。直ちに環境政策を行うべきだ」という内容のスピーチをしたことでよく知られています。このスピーチに対し、ムニューシン米財務長官（当時）は、「大学で経済学を勉強してから言いなさい」と反論しました。ムニューシン氏の反論は正論と言うべきでしょう。

経済成長は国の基礎体力です。経済成長によってすべての問題が解決するわけではありませんが、経済成長しないでいる場合よりも問題解決できることは確かです。環境問題のような人類共通の過大に取り組むためにも経済成長は欠かせない、ということです。

日本のマスコミ人には〝学歴〟がない!?

マスコミ業界で働いている人たち、また、マス・メディアに登場する評論家やジャーナリストたちは一般的に学歴が高いと思われています。ほとんどが4年生大学の出身者だからです。

しかしこれは世界標準からすればナンセンスな話です。一般的な見方とはまったく逆で、ジャーナリストをはじめ日本のテレビなどに知識人として登場する人たちは、〝学歴〟が低すぎます。

どこの大学を出たかなどはたいした問題ではありません。ここで言う学歴とは「何を、どこまで勉強したか」ということです。

日本のジャーナリストと称する人たちは、そのほとんどが4年生大学の卒業者です。これは実は、世界に出てしまえば「学歴がない」のと一緒です。

大学院で勉強したところで、修士ではあまり学歴があるとは言えません。博士号まで取得して初めて学歴があると認識されるのが世界の標準です。

日本のジャーナリストで博士号を持っている人、というのはあまり聞いたことがありません。ということは、世界の感覚でものを見る人にとっては、「なんと学歴の低い人が集まっている業界だ」ということです。

言い方を変えると、大学を出ているから私には学歴があると思ってはいけないということとです。特に言論で商売をする人は、「世界標準は日本とは大きく違うのだ」ということを認識すべきでしょう。

私はいちおう東京大学の出身ですから、国内的には学歴が高いと思われているかもしれません。しかし、世界に行けば、「University of Tokyo」など聞いたこともないという人がけっこういます。

国内最高の大学とされている東京大学ですが、イギリスの高等教育専門誌「Times Higher Education（ＴＨＥ）」が２０２３年9月27日に発表した世界大学ランキング２０２４によれば東京大学は29位です（それでも前年から10位のランクアップです）。大学そのものについては、海外の大学のことなど詳しくは知らないというのはお互い様でしょう。ただし、マスターやドクター、修士や博士号を持っているかいないかではだいぶ違ってきます。

学歴というものが、海外では肩書きに露骨に表れます。普通の「学士」つまり学卒４年制大学の卒業者は「ＢＡ」と書きます。「Bachelor of Arts」です。

大学院で勉強して「修士」を持っている人は「ＭＡ」、「Master of Arts」です。

博士号は「ＰｈＤ」と表記されます。ラテン語の「Philosophiae Doctor」の略称で、英語でいうと「Doctor of Philosophy」です。

この肩書が、パブリックな場所、たとえばシンポジウムやあるいはパーティといった懇親会の出席者一覧表に書かれます。出席者それぞれの学歴がひと目でわかる仕組みになっているのです。

そういう場では、「ＢＡ」の肩書の出席者はまずいません。ごく稀にいますが、その場合は、何かの事情があって「ＢＡ」に留まったのだろうと思われます。

「ＢＡ」は、失礼を承知で言うと、日本でいう「中卒」の感覚です。この感覚でいうと、日本の場合、ジャーナリストのほぼ全員が中卒・高卒ということになります。

日本で名刺に学歴を書く人はおそらくそれほど多くないと思います。私の名刺の裏側には、英語表記の面にちゃんと「ＰｈＤ」と書いてあります。日本国内用に「博士」などと書くと嫌らしいことになりますが、海外ではそれが普通で、常識なのです。

海外において、特に知識階層では学卒は相手にされません。海外で学歴といえば、修士卒、博士号卒、あるいはそれ以上で、学卒は最も下位に置かれますから、４年制大学を卒業したくらいで、「私は知識人である」と振る舞うのはお話になりません。

これは日本と海外の認識の違いだ、と言う人もいるかもしれませんが、そういったところが日本国内においても結果として出ています。世の中にはちゃんと専門的知識のある人がいます。そうした人たちが今はネットで情報発信できてしまいます。マスコミよりもはるかにまともな意見がネット上に散見しているのは明らかなことです。

また、事実として、日本のジャーナリストと称する人々は海外ではジャーナリストにはなれません。ジャーナリストと呼ばれるためには、専門分野を持っていることが必要であるのが世界標準だからです。

日本では、たとえばＮＨＫのアナウンサー出身であるだけのような、まったく専門分野のない人であってもジャーナリストを名乗ることができます。これは世界標準ではありえないことです。

それに類するある日本のジャーナリストの著書を見てびっくりしたことがあります。参考文献の記載がないのです。

「何でも知っている凄い人」というイメージで売り出し、確かにいろいろ多岐にわたって書いているのですから、著書に参考文献が載っていないなどということはありえません。

これは、論文の書き方をきちんと習っていないからだと思います。〝学歴〟がないので論文の書き方を知らないのでしょう。

論文のなかで人の意見を書くことには何の問題もありません。ただし、論文の書き方の基本、というよりも一般常識として、人の意見を書くのであれば参考文献を明記し、自分が書いたなかのどの部分が人の意見かということは明らかにしなければなりません。

論文は、ここは人の意見、こちらは自分の意見であると明示されていることが基本です。参考文献がたくさんあること自体はごく当たり前のことです。夥しい数の参考文献が記載されていることは、問題のあることでも恥ずかしいことでも何でもなく、記載しないことの方がおかしく、常識を疑われます。

参考文献を記載することなく書いてしまうと論文としては体をなしませんから、そういった論文ないし著書はその時点でリジェクトされます。参考文献をちゃんと記載することで、該当する部分は自分の意見でないということもはっきりするでしょう。情報に対する自分自身の姿勢の確認という意味でも、かえってすっきりするのではないかとさえ思います。

はっきり言ってしまえば、日本のジャーナリストの書くものは、ほとんどが他人のデータと意見のパクリです。ほとんどが参考文献のパクリによってできあがっています。日本のジャーナリストはそのレベルである、ということも知っておいた方がいいでしょう。

理解しておくべき経済用語

テレビのワイドショーなどでもときどき耳にしますが、「ハンバーガーが30円値上がりした。インフレだ」などと平気で言っている人がいるとすれば、その人はもう少しちゃんとした知識を頭に入れる必要があります。

ハンバーガーが30円値上がりしたのはミクロ経済の話で、インフレはマクロ経済の話です。

ここで、テレビや新聞の、特に経済に関する報道に惑わされないようにするためにも、最低限、頭に入れておいた方がいい経済用語を整理しておきましょう。

【マクロ経済】

「社会全体の経済活動」のことをマクロ経済といい、それを考える学問がマクロ経済学です。簡単にいえば、政府が国の経済政策を考えるときに使う理論がマクロ経済学です。

【ミクロ経済】

「個人や1つの商品・会社・業界など個別の案件の経済」のことをミクロ経済と言い、それを考える学問がミクロ経済学です。たとえば「努力は報われる」という格言はミクロ経済学的に言えばとてもいい格言です。大学受験などは努力しなければ合格しないのは事実ですからこの格言を信じて勉強します。一方、「入学できる人数は決まっていて全員が合格することはありえない。努力は関係がない」と考えるのがマクロ経済学だということができます。

【物価】

物価はマクロ経済学の用語です。一般的に消費される耐久消費財（モノ）の価格と非耐久消費財（サービス）の価格を総合した価格のことを「物価」といいます。

【価格】

ミクロ経済学で使われる「価格」は個別商品の価格のことを指します。マスコミのなかには、この「価格」のことを「物価」と言ってしまっているケースがありますから注意が必要です。この「価格」について国が口を出すことは原則的にありません。個別の品目については市場の競争にまかせるのが自由主義社会の常識です。

【GDP】

Gross Domestic Productの略称で「国内総生産」と訳されています。1年間に国内で生み出されたモノやサービスの総額です。「平均給与額×人口」と同値となります。

【GDP成長率】

GDPの変動をパーセンテージで表した数値です。「名目GDP成長率」と「実質GDP成長率」の2種類があります。名目GDP成長率は、物価変動を考慮せずに算出したGDP成長率です。実質GDP成長率は物価変動分の調整を加えて算出したGDP成長率です。

【インフレ】

インフレはマクロ経済学の用語です。一般的に、「物価」が上がり続ける現象をインフレーション、略して「インフレ」といいます。個別の価格が上がり続けても、物価が上がり続けなければインフレとはいいません。

【デフレ】

デフレもマクロ経済学の用語です。一般的に、「物価」が下がり続ける現象をデフレーション、略して「デフレ」といいます。個別の価格が下がり続けても、物価が下がり続けなければデフレとはいいません。

【金融緩和】

日銀が、短期金利を誘導目標とした金融調節を行い、不況時においては短期金利を引き下げることでお金の流れを良くし、景気回復を狙う伝統的金融政策を「金融緩和」といいます。

【量的緩和】

民間金融機関が保有する日銀当座預金の残高を拡大させることによって金融緩和を行う金融政策のことで、簡単にいえば、世の中に回るお金の量を直接的に増やして景気回復を狙う金融政策が「量的緩和」です。

【マネタリーベース】

日銀が供給する通貨の総額を「マネタリーベース」といいます。世の中に出回っている貨幣、通貨と、民間金融機関の日銀当座預金の合計です。

【財政出動】

税金や国債などをはじめとする財政資金を公共事業などに投資して世の中に回るお金の量を増やし、景気の回復や底上げを図る経済政策を「財政出動」といいます。

【プライマリーバランス】

「国の収入－国債発行額」と「国の支出－国債の利子と償還の額」の収支バランスのことを「プライマリーバランス」といいます。「基礎的財政収支」と訳されます。簡単にいうと国の収入と支出のバランスのことです。

【財政健全化】
プライマリーバランスを黒字化することを「財政健全化」といいます。「税収＋税外収入－政策的経費」が0よりも大きくなることを指し、その最も簡単な方法は増税です。

【規制緩和】
政府が産業や事業に対して設置している規制を取り外すことを「規制緩和」といいます。新規参入や自由競争などが起こり、経済の活性化を期待して採られる経済政策です。

以上の用語を理解しておくだけでも、特に経済ニュースについてはすっきり読めるようになるはずです。政府および日銀はなぜこのような政策をとろうとしているのかということがわかってくるでしょう。

「円安」＝「国力低下」とはかぎらない

2022年10月20日に一時150円台、1990年8月以来およそ32年ぶりの円安水準を記録して以来続いている円安傾向を、日本の国力と結びつけて論じるマスコミやジャーナリストが少なからずいます。これは自分の無知をさらけ出しているだけです。

日米の為替は、円とドルでどちらの量が相対的に多いか少ないかで動きます。多い方の通貨は希少価値を失って安くなり、少ない方の通貨は希少価値が出て高くなるというシンプルな話です。

ほとんどのマスコミ人は為替を理解していませんから、これまでに起こってきた為替の動きについて、円高は欧州危機、米国債務上限、米国債格下げが理由であるとか、米国の景気回復の遅れなどの海外要因で円が期待されている結果として円高となっている、などの定番の解説を行ってきました。円高については日本の国力が上がっているからだ、というトンチンカンな解釈から、昨今の円安についての、「日本の国力が下がっている」という解説が出てきているわけです。

円とドルの量のバランスから円高が説明できるということがわかっていれば、円とモノの量の関係でデフレとなっているということもわかります。モノに比べて円の量が少なければモノの価値は下がりデフレとなります。したがって、昨今の円安は、デフレ脱却の一歩と考えることもできる事象です。

昨今の円安は国力うんぬんではなく、マネタリーベースで説明できる範囲の円安で、ひどいものではありません。ＧＤＰ増加のチャンスと捉えるべきですが、円安で苦しむ企業や個人がいることも確かです。

これに対処するために、見込まれるＧＤＰ増加によって得られる税収増をどう使おうとしているのか岸田政権のお手並拝見、というのもニュースの見方のひとつであり、そうした見方をするためにはやはり基礎的な経済学の知識と数字で物事を考える習慣が必要だということです。

マスコミの一部には、何がなんでも「日本の国力は低下している」と言い続けたい人たちがいるらしく、２０２３年の9月末にも、とあるテレビ報道番組の解説者が、円安とからめて、「日本国債の格付けは中国よりも低い」ということを取り上げて悲観論を述べていました。

米大手格付け会社ムーディーズ・インベスターズ・サービスによると、２０２２年末時点で日本の自国通貨建て長期債務格付けの格付けはＡ１で、主要先進7か国のうちイタリアに次いで低くなっています。２つ上にＡａ３の香港がいます。

これは、「だからどうした？」という話です。私は官僚時代に国債課の課長補佐を務めていたことがあります。格付会社の格付け根拠がどうもデタラメらしいので罠をかけたことがあります。国債の発行をスキップしたのです。にもかかわらず格付け会社が格付けしてきたのでクレームをつけたところ、格付会社の担当者が飛んで来て、謝罪するとともに、まともな分析をしていないことを明かしました。

格付会社がデタラメなのはすでに周知の事実で、金融市場は「格付け」など相手にしていません。それをマスコミは知らないか、あるいは知っていながら都合よく利用しているだけということです。

国債の評価について、世界標準として何が見られているかというと、先にもお話したCDS（クレジット・デフォルト・スワップ）を見ます。国や企業の破綻リスクを売買するデリバティブ、金融派生商品です。

CDSは、国債を持っている人たちがかけるいわば保険商品で、破綻確率が高いと評価されればされるほど保険料金は高くなります。つまり保険料が高いほど破綻確率が高いと評価されているということになりますが、日本は韓国の2分の1、中国の4分の1です。

保険料金は市場が決めます。誤認が少しでもあれば大きな損害につながりますから、金融市場は総力を上げてデータを収集し、数理計算を行っています。CDSは国の破綻確率を見るのには、現時点では最も信頼度の高い素材であるといえるでしょう。

数字で議論できない人ほど「格付け」などといったふわりとした話に飛びつきます。CDSにおいて日本の国債は、常時トップ10にいるくらいの安全度です。これは「数量的に見て日本には国家破綻する要素はほとんど存在しないと世界は考えている」いうことを意味しています。

国際情勢認識の甘さ～ハマスとパレスチナの混同

2023年10月7日、イスラム組織ハマスがイスラエルに対して大規模なミサイル攻撃を行い、複数のイスラエル領内に侵入しました。イスラエル南部ネゲヴ砂漠で開催されていた音楽フェスがハマスの戦闘員に襲われて少なくとも260人以上が死亡したのをはじめ、イスラエル側では事件後3日間で900人以上の死亡者と2400人以上の負傷者が出たとされています。

これに対してイスラエルは10月13日、事実上ハマスの支配下にあるパレスチナ・ガザ地区の住民に避難通告を開始しました。地上侵攻を含めた軍事作戦を実行に移すぞ、ということです。

ハマス（HAMAS、Harakat al- Muqawamaal-Islamiya）は公安調査庁ウェブサイトによれば「注目される国際テロ組織、世界のテロ・ゲリラ組織」に分類されている「武装闘争によるイスラム国家樹立を目的として設立した武装組織」です。イスラエル殲滅を目標としているハマスはパレスチナを代表しているわけではありません。ガザ地区を実効支配し、むしろパレスチナ人を抑圧している組織です。

岸田首相は翌日の10月8日、SNSの「X」に事件に対する非難のメッセージとして、「昨日、ハマス等パレスチナ武装勢力が、ガザからイスラエルを攻撃しました」「ガザ地区においても多数の死傷者が出ていることを深刻に憂慮しており、全ての当事者に最大限の自制を求めます」という内容を含む投稿を行いました。外務省が練りに練った上での作文であるはずですが、私はかなり驚きました。

この事件は世界各国において、当初からハマスによるイスラエルに対する「テロ」として理解されていました。明確に、「ハマスはテロ組織である」とされており、「ハマスはパレスチナという国とは違う組織である」というのが前提です。それが岸田首相の投稿では「ハマス等パレスチナ武装勢力」と書かれてしまっていました。さらには「全ての当事者に最大限の自制を求めます」となっているのは、テロを仕掛けられたイスラエルに自制を求めることになってしまいます。

10月9日、フランス、ドイツ、イタリア、イギリス、アメリカの5カ国首脳がイスラエル支持を表明する声明を発表しました。「イスラエル国への揺るぎない結束した支持と、ハマスとその恐ろしいテロ行為への明確な非難」が表明され、「テロを正当化するものは何ひとつない」とされ、「イスラエル国の同盟国および友好国として、イスラエルが自衛できるよう保証するため、平和で統合された中東地域に必要な条件を整えるために結束し、連携して」いくことが表明されています。

ところが、この仏独伊英米5カ国首脳の共同声明があったにもかかわらず、10月10日、日本の新聞各紙が「岸田首相、イスラエル・パレスチナに停戦呼びかけ」という見出しの記事を掲載しました。「岸田首相はイスラエルのネタニヤフ首相、パレスチナ自治政府のアッバス議長と近く個別に電話会談を行う方向で調整に入った」「イスラエルとアラブ諸国の双方とも良好な関係を持つ日本の立ち位置を生かし、停戦を呼びかける」というものです。

かつて反イスラエル・パレスチナ解放を目的のひとつとして掲げていた過激派集団・日

本赤軍の流れを汲むような一部の左翼勢力のなかには、岸田はよくやっている、という声もあったようですが、そもそもパレスチナとハマスを一緒にすること自体、間違っています。会談を行うのであれば、パレスチナ自治政府のアッバス議長ではなく、ハマスの代表者を相手にしなければなりません。

「イスラエル・パレスチナに停戦呼びかけ」という方針に疑問が持たれず、批判もないのは、マスメディアもまたハマスとパレスチナの区別がついていないからでしょう。国際情勢についての標準的な基礎知識が欠けている、としか言いようがありません。マスメディアには日本有数の知性が集合していて信用するに足る、と思い込むのは危険です。

ハマスによるテロ事件に対する日本政府の考え方は世界的に異質です。仏独伊英米5カ国首脳の共同声明とかなり違っています。ハマスの行為を非難していることには変わりはありませんが、中立的な立場で中東情勢に向き合ってきた歴史を背景に双方に自制を求めて停戦を呼びかける、パイプ役として都合のいい立場をとるというのはかなり難しいことです。100点満点など取れないことを前提に、どちらがよりまともなのか、というところで考える以外に道はありません。ウクライナ側に立ちながらロシア側にも立つことはできないのと同様です。

イスラエル問題への優先度が高いアメリカは、今後、イスラエルへの軍事支援を中心的に行うことになります。そして、今のアメリカには、イスラエルとウクライナ両国の支援はできません。イスラエル問題は長引くことが予想され、ウクライナは長期的にはドイツなど欧州が支援せざるをえなくなるでしょう。アジア地域では、北朝鮮問題には韓国が対応する、ということにもなるでしょう。その場合、中国による台湾有事は日本で、ということになります。状況はいよいよ民主主義対専制主義であり、第3次世界大戦前夜という表現は今や絵空事ではありません。

おわりに　～激動の時代に大切なのは「数字で話す力」

2023年9月13日、北朝鮮の金正恩朝鮮労働党総書記がロシアを訪問し、プーチン大統領と会談しました。会談場所がどこになるかがひとつの大きなポイントでしたが、ウラジオストックではなく、その先にある極東アムール地方のボストーチヌイ宇宙基地で金正恩はプーチン大統領と対面しました。

このことはやはり大きな問題です。

プーチン大統領がいま欲しいのは砲弾と兵隊です。インフラ整備のためにといった理屈で北朝鮮に人（兵隊）を出させるということになるのでしょう。

一方、金正恩が欲しいのはロシアの軍事技術です。核と潜水艦と超音速ミサイルの技術が交換条件になるでしょう。

これにより北朝鮮の軍事力がグレードアップする可能性があります。日本としては大問題です。北朝鮮と中国、ロシアの3国が連携する可能性が大きくなってきたからです。

日本はこれによって、核を持っている非民主主義国3国を相手に3正面作戦をとらなければならないことになります。従来の対中国としての防衛費はGDP1％、高まる北朝鮮の危機に対して予定されているGDP2%の増額は、おのずと3%と高くなっていくでしょう。

これは世界情勢を見た場合、不可避の流れです。日本だけでどうこうできるものではありません。一般にはわからない、表面化しない要素がいろいろとあるにせよ、明らかな事実としてロシアによるウクライナ侵攻があって以来、世界は大きく変わりました。

暮らしの安寧（あんねい）に関わる身近な問題として、世界で何が起こっているのか、これから世界はどうなっていくのか——、それを国民一人ひとりが理解しなければならない時代に日本はすでに入っています。

そこで、「世界が標準としている考え方」と「世界の常識」を知ること、「数字を読んで考え、数字で話す力」ということが今後ますます重要になるといえるでしょう。

２０２３年10月

髙橋洋一

髙橋洋一（たかはし よういち）
1955年東京都生まれ。東京大学理学部数学科・経済学部経済学科を卒業。博士（政策研究）。数量政策学者。嘉悦大学大学院ビジネス創造研究学科教授、株式会社政策工房代表取締役会長。1980年大蔵省（現・財務省）に入省、大蔵省理財局資金第一課資金企画室長、プリンストン大学客員研究員、内閣府参事官（経済財政諮問会議特命室）、内閣参事官（首相官邸）などを歴任。小泉内閣・第1次安倍内閣ではブレーンとして活躍し、「ふるさと納税」「ねんきん定期便」などの政策を提案したほか、「霞が関埋蔵金」を公表。2008年に退官し、『さらば財務省！』（講談社）で第17回山本七平賞を受賞、その後も多くのベストセラーを執筆。菅義偉内閣では内閣官房参与を務めたが、2021年5月に辞任。現在は、YouTube「髙橋洋一チャンネル」を配信しており、チャンネル登録者数は100万人を超えている（2023年10月現在）。

制作スタッフ

〔装丁〕　斉藤よしのぶ
〔DTP〕　株式会社三協美術
〔編集協力〕　尾崎克之

〔編集長〕　山口康夫
〔担当編集〕　河西　泰

数字で話せ！「世界標準」のニュースの読み方

2023年11月21日　初版第1刷発行

〔著　者〕　髙橋洋一
〔発行人〕　山口康夫
〔発　行〕　株式会社エムディエヌコーポレーション
〒101-0051　東京都千代田区神田神保町一丁目105番地
https://books.MdN.co.jp/
〔発　売〕　株式会社インプレス
〒101-0051　東京都千代田区神田神保町一丁目105番地
〔印刷・製本〕中央精版印刷株式会社

〔カスタマーセンター〕
造本には万全を期しておりますが、万一、落丁・乱丁などがございましたら、送料小社負担にてお取り替えいたします。お手数ですが、カスタマーセンターまでご返送ください。

■落丁・乱丁本などのご返送先
〒101-0051　東京都千代田区神田神保町一丁目105番地
株式会社エムディエヌコーポレーション カスタマーセンター
TEL：03-4334-2915

■書店・販売店のご注文受付
株式会社インプレス　受注センター
TEL：048-449-8040／FAX：048-449-8041

内容に関するお問い合わせ先
株式会社エムディエヌコーポレーション　カスタマーセンターメール窓口
info@MdN.co.jp

本書の内容に関するご質問は、Eメールのみの受付となります。メールの件名は『数字で話せ！「世界標準」のニュースの読み方　質問係』とお書きください。電話やFAX、郵便でのご質問にはお答えできません。ご質問の内容によりましては、しばらくお時間をいただく場合がございます。また、本書の範囲を超えるご質問に関しましてはお答えいたしかねますので、あらかじめご了承ください。

ISBN978-4-295-20622-4　C0033